Патриси

Депрессия и качество жизни при трансплантации почки

Анализ пациентов до и после трансплантации

ScienciaScripts

Cover image: www.ingimage.com

This book is a translation from the original published under ISBN 978-613-9-60334-3.

Publisher:
Sciencia Scripts
is a trademark of
Dodo Books Indian Ocean Ltd. and OmniScriptum S.R.L publishing group

120 High Road, East Finchley, London, N2 9ED, United Kingdom
Str. Armeneasca 28/1, office 1, Chisinau MD-2012, Republic of Moldova, Europe

ISBN: 978-620-7-27314-0

РЕЗЮМЕ

РЕЗЮМЕ

Хроническая почечная недостаточность (ХПН) - это прогрессирующее и необратимое ухудшение функции почек, при котором нарушается способность организма поддерживать метаболический и гидроэлементный баланс. Начало заболевания коварно, а его основными причинами являются гипертония и сахарный диабет '[(12)] . Пациент с КРР ограничен двумя видами лечения: заместительной почечной терапией или трансплантацией, причем последний способ обеспечивает лучшее качество жизни, возможное снижение риска смертности ' '[(234)] и более низкую стоимость по сравнению с диализом[2] . Развитие трансплантации органов представляет собой крупный технический и научный прогресс, значительно улучшающий выживаемость хронических почечных пациентов и других людей с хроническими заболеваниями. Однако важные аспекты, связанные с этим, такие как эмоциональные и психосоциальные аспекты, оставались без внимания[(5)] . Тем не менее, эти аспекты становятся все более заметными в национальных и международных научных публикациях и оказывают положительное влияние на терапевтическое ведение пациентов ' ' ' '[(5678910)] . 'Внимание к психосоциальным аспектам является основополагающим для успешного лечения'[6-11] ', поскольку они влияют на восприятие и оценку болезни, приверженность к лечению и качество жизни пациентов с хронической почечной недостаточностью[(11)] . Учитывая важность этой темы для пациентов с хронической болезнью почек, которые являются кандидатами на трансплантацию почки, а также для пациентов после трансплантации почки, в 2007 году было проведено исследование депрессии и качества жизни у пациентов до и после трансплантации почки, которые наблюдались в амбулаторной клинике трансплантации почки при Hospital das Clinicas Федерального университета Пернамбуку (HC-UFPE). Результатом этого исследования стали две статьи, которые вошли в данную магистерскую диссертацию. Первая представляет собой обзор литературы по качеству жизни (КЖ) и некоторым историческим, этическим, правовым и эмоциональным аспектам, связанным с трансплантацией органов и тканей, с использованием баз данных Medline, Scielo и Lilacs по следующим дескрипторам: депрессия, качество жизни, трансплантация органов, хронические заболевания. Также были использованы учебники и статьи, цитируемые в ссылках, полученных в ходе обзора. Вторая статья, выполненная в форме оригинальной статьи, была направлена на анализ распространенности депрессии и качества жизни у почечных пациентов до и после трансплантации, наблюдавшихся в амбулаторной клинике трансплантации почки HC-UFPE в период с июля по декабрь 2007 года.

Ключевые слова: депрессия, качество жизни, трансплантация органов, хроническое заболевание

ССЫЛКИ

1 Бруннер Л.С., Саддарт Д.С. Новая практика сестринского дела. 5ª ed. Rio de Janeiro: Interamericana; 1994.

2 Cunha CB, Leon ACB, Schramm JMA, Carvalho MS, Paulo Júnior RBS, Chain R. Время до трансплантации и выживаемость у пациентов с хронической почечной недостаточностью в штате Рио-де-Жанейро, Бразилия, 1998-2002 гг. Cad saúde pública.2007;23(24):805-13.

3 Кастро M, Кайуби ABC, Драйбе CA, Канзиани МЭФ. Качество жизни пациентов с хронической почечной недостаточности на гемодиализе, оцененные с помощью общего инструмента SF-36.Rev Assoc Med Bras.2003;49(3):245-9.

4 Riella MC. Хроническая почечная недостаточность: патофизиология уремии. In: Riella MC. Principios de nefrologia e distobios hi^oeletroliticos. 3ª ed. Rio de Janeiro: Guanabara Koogan; 1996.cap.36,p.475.

5 Пьетровск В., Далл'Аньол CM. Значимые ситуации в пространстве-контексте гемодиализа: что говорят пользователи услуг? Rev bras enferm.2006; 59(5):630-5.

6 Contel JOB, Sponholz Jr A, Torrano-Masetti LM, Almeida AC, Oliveira EA, Jesus JS, et al. Психологические и психиатрические аспекты трансплантации костного мозга. Medicina (Ribeirão Preto). 2000;33(3):294-311.

7 Мендес AC, Ширатори К. Восприятие пациентов, перенесших трансплантацию почки. Nursing (São Paulo).2002;5(44):15-22.

8 Virzi A, Signorelli MS, Veroux M, Giammarmsi G, Maugeri S, Nicoletti A, et al. Depression and quality of life in living related renal transplantation.Transplant proc.2007;39(6):1791-3.

9 Shah VS, Ananth A, Sohal GK, Bertges-Yost W, Eshelman A, Parasuraman RK, et al. Качество жизни и психосоциальные факторы у реципиентов почечного трансплантата. Transplant proc. 2006;38(5): 1283-5.

10 Baines LS, Joseph JT, Jindal RM ve ark.Emotional issues after kidney transplantation: a prospective psychotherapeutic study.Clinfransplant.2002;16(6):450-4.

11 Алмейда AM, Мелейро AMAS. Депрессия и хроническая почечная недостаточность. J bras nefrol. 2000;22(1):192-200.D

ГЛАВА 1

ОБЗОРНАЯ СТАТЬЯ

Трансплантация органов и тканей: исторические, этико-правовые, эмоциональные аспекты и влияние на качество жизни

Вопросы, связанные с трансплантацией органов и тканей: исторические, этические, юридические, эмоциональные аспекты и их влияние на качество жизни.

Патрисия Мадруга Рего Баррос, студентка магистратуры по медицинским наукам в OTPE, специалист по сестринскому делу в нефрологии и медсестра в Hospital das Clinicas, Ресифе, Бразилия.

Лусиан Соарес де Лима, доктор пневмологических наук из UNIFESP/EPM и ProL. Адъюнкт-профессор кафедры сестринского дела в OTPE.

Адрес для переписки:

Патрисия Мадруга Рего Баркос

Rua Capitão Ponciano, 63 Barco CEP 50780-040 Recife-PE, Бразилия.

Тел: (081) 91427665; e - mail: patricia-ma^ga@hotmail.com

Резюме

Технологические достижения, которые необходимы человечеству, внесли большой вклад в развитие здравоохранения. Однако гуманизация остается сложной задачей, возможно, потому, что она включает в себя эмоциональные и психосоциальные аспекты, которые являются основополагающими для успеха любого вида лечения. Трансплантация органов и тканей, являющаяся неотъемлемой частью научно-технической эволюции, стала реальным вариантом и зачастую единственной жизнеспособной альтернативой для хронически больных. Несмотря на успехи в лечении диализом, трансплантация почки признана лучшим вариантом, позволяющим обеспечить лучшее качество жизни пациентам с хронической почечной недостаточностью. Однако стоит подчеркнуть, что, как и любое другое лечение, трансплантация имеет свои последствия, которые необходимо обсуждать, чтобы избежать разочарований и/или эмоциональных и психологических осложнений для пациентов, перенесших эту процедуру.

Цель данной статьи - представить научную информацию о качестве жизни и некоторых исторических, этических, правовых и эмоциональных аспектах, связанных с трансплантацией органов и тканей. Поиск проводился в базах данных Medline, Scielo и Lilacs с участием взрослых людей по следующим дескрипторам: депрессия, качество жизни, трансплантация органов и хронические заболевания, а также учебники. Исследованная научная продукция выявила два актуальных аспекта: Первый - значительное технологическое развитие и государственная политика, направленная на трансплантацию органов и тканей в Бразилии; Второй, однако, показывает низкую оценку эмоциональных и социальных аспектов, оказывающих психологическое воздействие и влияющих на качество жизни пациентов. Мы также отметили диспропорцию между количеством жизнеспособных органов для трансплантации и растущим листом ожидания, связанную с неуведомлением о случаях смерти мозга и подходом к обращению за донорством, что привело к большому количеству смертей, все еще находящихся в листе ожидания. Кроме того, выяснилось, что население не знает о концепции смерти мозга и боится торговли органами, что свидетельствует о недостатке инвестиций в разъяснение этих вопросов и, следовательно, о необходимости проведения образовательных кампаний для восполнения этого пробела.

Ключевые слова: депрессия, качество жизни, трансплантация органов, хроническое заболевание.

1.1 Введение

Развитие трансплантации и ее применение в лечении неизлечимых заболеваний определенных органов стало одной из самых успешных тем в истории медицины. Достижения в области иммунологического менеджмента, хирургической техники и интенсивной терапии, а также внедрение более современных иммуносупрессивных препаратов и более эффективных консервирующих растворов способствовали улучшению результатов трансплантации[(1)] .

Однако важно отметить, что научно-технические разработки не могут вытеснить эмоциональные и психосоциальные аспекты при проведении терапевтических процессов[(2)] . Тем не менее, этой теме уделяется все больше внимания в научных исследованиях, и все большее число работ посвящено этим аспектам, которые, как считается, вызывают или усиливают проблемы со здоровьем[(3 ^' ' ' ' .5678)]

Этические аспекты также очень важны в этом контексте. Трансплантация, как и любое научно-техническое достижение, приносящее значительные выгоды, влечет за собой и этические проблемы, которые необходимо обсуждать[(9)] .

Что касается пациентов, перенесших трансплантацию почки, то в повседневной практике отделения трансплантации наблюдаются такие чувства и установки, как раздражительность, гнев, вина, сожаление, печаль, тревога; вербальная и физическая агрессия, избегание больницы, отказ от лечения, вербализация желания умереть и попытки самоубийства. Считается, что эти чувства и поведение могут быть связаны с неадекватным ведением на предоперационном этапе трансплантации, а также во время госпитализации, что требует более гуманистического подхода к этим пациентам '[4,10] .

Решение о пересадке органа дается нелегко, оно включает в себя ряд вопросов, которые должны быть приняты во внимание, таких как социально-экономические, когнитивные, культурные, идеологические и религиозные особенности, а также оценка страхов, сомнений, желаний и перспектив каждого пациента многопрофильной командой, которая смотрит на человека, а не только на болезнь[2,10,11,12] .

Все эти факторы могут оказывать положительное или отрицательное влияние на качество жизни пациентов, учитывая, что их значение для каждого человека различно^[13, 14-15]

Беспокоит отсутствие у пациента знаний или дезинформация о предстоящей операции: риск операции, клинические и хирургические осложнения в послеоперационном периоде, возможность потери трансплантата, периодическая необходимость в сеансах гемодиализа (даже после трансплантации), ограничения в питании, количество лекарств, частое амбулаторное наблюдение, ожидание ухода, необходимость периодических лабораторных исследований, иногда частые госпитализации, а также ограничение спутников[15] . Пациенту и его семье предстоит решить множество проблем, и эти внезапные изменения в их жизни должны быть оценены командой медицинских работников[10] .

Цель этой статьи - представить научные данные о качестве жизни, а также исторические, этические, юридические и эмоциональные аспекты, связанные с трансплантацией органов и тканей.

1.2 Метод

Были проанализированы базы данных Medline, Scielo и Lilacs, включающие взрослых людей, по следующим дескрипторам: депрессия, качество жизни, трансплантация органов и хронические заболевания, а также учебники.

1.3 Исторические аспекты

Трансплантация органов была предметом многих попыток на протяжении веков, но без шансов на успех из-за недостатка знаний о биологических явлениях, связанных с взаимодействием между реципиентом и трансплантатом \.[16]

В литературе имеются древние сообщения на эту тему, восходящие к аюрведической медицине Индии и Греции, но именно во время Второй мировой войны были определены основные биологические основы трансплантации, известные как "законы трансплантации". В этот период Питер Медавар и Томас Гибсон провели эксперименты по пересадке кожи у людей с ожогами, полученными во время войны, и описали процесс отторжения и неотторжения при использовании трансплантатов от другого человека и от того же человека, соответственно \.[16]

В 1890 году шотландец Мейсен[17] провел первую аутотрансплантацию костной ткани. Только в 1905 году начались первые экспериментальные пересадки органов и тканей, наставником которых был француз доктор Алексис Каррель, получивший в 1912 году Нобелевскую премию за свою работу[18] \ В 1954 году была описана первая успешная пересадка почки между однояйцевыми близнецами, проведенная Джозефом Мюрреем[17] .

В 1963 году в США, в Денвере, Томасом Старзлом была предпринята первая попытка пересадки человеческой печени. Пациентом был трехлетний ребенок с билиарной атрезией, который умер во время операции из-за изменений в свертываемости крови. Вторая попытка была предпринята несколько месяцев спустя, тем же хирургом. На этот раз на мужчине, который умер через двадцать дней после операции от тромбоэмболии[19] .

С 1963 по 1967 год в разных странах было предпринято несколько попыток, и в последнем году был получен первый благоприятный результат пересадки печени двухлетней девочке с холангиокарциомой. Однако пациентка умерла через тринадцать месяцев от метастазов первоначального заболевания[19] \ Также в 1967 году были представлены первые четыре выживших после трансплантации печени с целью заручиться поддержкой общественности для поощрения донорства органов[19] .

В этом же году Бамардом и его сотрудниками в больнице Groote Schuur в Кейптауне (ЮАР) была описана первая пересадка сердца пациенту с левожелудочковой недостаточностью. Через год после первых трансплантаций (сердца и печени) за рубежом первая эффективная пересадка сердца была проведена в Бразилии профессором Зербини, а точнее 26 марта 1968 года[18] .

В 1971 году в Бразилии, в больнице Сирио Либанес в Сан-Паулу, была проведена первая некровосмесительная трансплантация почки inter-vivos[20] .

Стоит также подчеркнуть важность и историю развития иммуносупрессивных препаратов в процессе эволюции трансплантации. В течение трех десятилетий (с 1955 по 1985 год) появлялись новые иммуносупрессивные препараты: кортикоиды, азатиоприн, антилимфоцитарный глобулин, циклоспорин и ОКТ3, целью которых было снижение частоты отторжения и, соответственно, увеличение выживаемости трансплантатов. При пересадке сердца использование циклоспорина увеличило выживаемость пациентов на 75-80 %[18] .

В 1985 году в больнице Hospital das Clínicas в Сан-Паулу двадцатилетней женщине с первичной опухолью печени была проведена первая успешная трансплантация печени в Латинской Америке. Эта пациентка умерла через тринадцать месяцев от рецидива заболевания[19] .

Второй группой, успешно выполнившей трансплантацию печени в стране, стал Детский институт при больнице Hospital das Clínicas в Сан-Паулу в 1989 году. С тех пор эту процедуру стали проводить и в других штатах[19] .

Развитие науки позволило населению добиться значительных успехов в области здравоохранения. Однако политические и социальные аспекты, связанные с трансплантацией, могут препятствовать доступу большего числа людей к достигнутым техническим и научным преимуществам.

1.4 Правовые и этические аспекты

Бразилия является привилегированной страной, когда речь заходит о законодательстве в области трансплантации органов, поскольку здесь действуют всеобъемлющие законы, обеспечивающие безопасность как трансплантологов, так и пользователей. До 1997 года в Бразилии не существовало государственной политики в области трансплантации. Сегодня можно сказать, что существует широкий и демократичный доступ, независимо от социально-экономического и культурного уровня пациентов, нуждающихся в этих процедурах[16] .

Единая система здравоохранения (SUS) предлагает полное покрытие процедур, связанных с трансплантацией, включая послеоперационное наблюдение, в том числе поставку иммунодепрессантов и поддерживающих лекарств, на неопределенный срок. В США, например, социальное обеспечение и медицинские планы предоставляют частичную страховку (только на иммунодепрессанты) и в течение ограниченного времени после трансплантации[16] .

Тем не менее, некоторые трудности еще предстоит преодолеть, например, длительность ожидания трансплантации. Возможно, это связано с плохим оповещением центров трансплантации и тем, что некоторые из пожертвованных органов не используются[16] \ Подобные факты могут быть связаны с неспособностью медицинских работников выявлять потенциальных доноров и обращаться к ним с просьбой о донорстве[20] , а также с недостатком информации у населения по этому вопросу, религиозными причинами и неуверенностью населения в эффективности государственных услуг[21] .

Момент дарения имеет фундаментальное значение, это сложный этап, поскольку он включает в себя чувства, этические и юридические аспекты, и поэтому требует команды профессионалов, которые обучены и знакомы с предметом \.[20

При сокращении числа жизнеспособных умерших доноров значительно увеличивается число живых доноров в попытке удовлетворить подавленный спрос '[2021] .

Однако это касается не только Бразилии, поскольку страны, признанные обладающими более значительными техническими и финансовыми ресурсами, пока не смогли сократить список ожидания[16] .

"Системы трансплантации в настоящее время являются жертвами своего собственного успеха"[22] . По мере удлинения списков ожидания, в отличие от доступности органов, которая остается стабильной, в этих очередях наблюдается большое количество смертей. Чтобы попытаться переломить эту ситуацию, трансплантологическое сообщество пересматривает критерии приемлемости доноров, разрабатывает новые стратегии получения органов, принимает случаи забора органов после остановки кровообращения, маргинальных доноров (доноров, не соответствующих оптимальным критериям донорства) и так называемое донорство inter-vivos .[22]

С точки зрения бразильского законодательства, первым законом, регулирующим деятельность по трансплантации органов, стал Закон № 5 479, опубликованный в августе 1968 года. До начала 1980-х годов трансплантация носила академический характер, то есть ограничивалась клиническими исследованиями. Только с появлением новых иммуносупрессивных методов лечения трансплантация стала рассматриваться как реальная возможность для пациентов с хронической почечной недостаточностью. За пределами университетов и при поддержке правительства начались действия по внедрению, планированию и регулированию трансплантации, вызванные требованием общества, чтобы все имели равные права на пользование этим благом. В связи с ростом спроса потребовались некоторые изменения, в том числе модернизация закона 1968 года, который не включал, например, концепцию смерти мозга[16] .

В 1987 году для планирования и регулирования диализа и трансплантации была создана Интегрированная система медицинской помощи высокой сложности. В 1990 году она была переименована в Интегрированную систему процедур высокой сложности (SIPAC), которая охватывала и другие виды трансплантации, помимо пересадки почки. В нее также вошли ассоциации пациентов и других специалистов. Эта система была упразднена в 1992 году, когда в закон о трансплантации были внесены поправки (Закон № 8 489). Этот закон был урегулирован только в 1993 году декретом №[0] 879 от 22 июля, который сделал обязательным уведомление обо всех случаях смерти мозга в экстренном порядке[16] .

С тех пор любая государственная или частная служба, диагностирующая мертвых пациентов, должна уведомить об этом Центры уведомления, подготовки и распределения органов (CNCDO), чтобы их можно было включить в число потенциальных доноров органов. Кроме того, чтобы орган мог быть использован для трансплантации, члены семьи должны дать согласие на донорство \.(19

После установления диагноза смерти мозга специалисты могут свободно действовать в присутствии членов семьи или законных доноров и приступать к запросу органов, после чего необходимо поставить подпись ответственного лица и двух свидетелей (не входящих в группу трансплантации или неврологического восстановления) на бланке донорской формы[20] .

В 1997 году постановлением № 1 480 Федерального совета по медицине педиатрические пациенты были включены в критерии смерти мозга. В том же году был принят закон № 9 434, который ввел в стране предположительное донорство органов путем выдачи гражданских удостоверений личности. Этот закон предусматривал, что все люди должны указывать в своем удостоверении личности и национальных водительских правах, желают ли они пожертвовать свои органы в случае смерти \.(16

Этот закон оказал значительное влияние на население, вызвав мобилизацию медицинской профессии, пациентов и представительных органов, что привело к принятию закона № 10.211, который положил конец предполагаемому донорству[16] .

В 1997 году была создана Национальная система трансплантации (SNT) для развития "процесса забора и распределения тканей, органов и частей, изъятых из человеческого тела в терапевтических целях"[1] -[16] \ Спустя несколько месяцев была создана Государственная система трансплантации, ответственная за создание технических регистров кандидатов на получение трупных органов, региональное распределение регистров почек и печени, централизация и распределение заготовленных органов, принятие критериев, определенных законодательством, включая совместимость по антигену лимфоцитов человека (HLA) для трансплантации почек, а также создание организаций по закупке органов для децентрализации поиска и подготовки доноров[16] .

В 1997 и 1998 годах в области трансплантации произошли значительные изменения, так как общество стало принимать более активное участие, а Бразильская ассоциация трансплантации органов выделилась \.(1

В 1998 году был принят ряд министерских указов, касающихся управления трансплантацией: Указ № 3 407 утвердил технический регламент по трансплантационной деятельности и Национальную координацию трансплантации. Постановление № 3 410 установило таблицы оплаты поиска и подготовки доноров, операций по имплантации изъятых органов и амбулаторного наблюдения после трансплантации, что стало одним из важнейших шагов в истории трансплантации, поскольку в Бразилии до этого времени оплачивались только трансплантации с живыми донорами[1] .

После установления в стране политики трансплантации количество пересадок почек и печени увеличилось еще больше: в 2005 году было проведено 3 362 пересадки почек, что вывело страну на третье место в мире по этому показателю (уступая только США и Китаю). Число пересадок печени выросло с 1,4 на миллион населения (pmp) в 1997 году до 5,6 pmp в 2005 году, что в общей сложности составило 956 пересадок. С 2000 года также значительно увеличилось количество трансплантаций поджелудочной железы. °В 2006 году Бразилия занимала 5-е место в Южной Америке по количеству трансплантаций - 6,0 тыс. на миллион населения, уступая Уругваю с 25,2 тыс. на миллион населения, Аргентине с 11,68 тыс. на миллион населения, Чили с 10,1 тыс. на миллион населения и Колумбии с 9,9 тыс. на миллион населения[21] .

Биоэтика тесно связана с проблемой трансплантации. В поле ее действия и размышлений находятся исследования психосоциологического характера, а также исследования, связанные с реаниматологией. В последнем случае, помимо прочего, выделяются проблемы, возникающие в связи с заместительной медициной, например, трансплантацией. В этом смысле на первый план выходят этические конфликты, такие как определение смерти мозга^.

Необходимость в определении смерти мозга возникла с развитием отделений интенсивной терапии и респираторов, способных поддерживать организм с таким диагнозом в течение нескольких часов и даже дней, а также с развитием методов трансплантации. Поскольку единого мнения по этому определению не существует, возникли спекуляции, затрудняющие достижение политического консенсуса. В качестве выхода из тупика был предложен плюрализм, позволяющий варьировать определения в зависимости от индивидуальных и групповых предпочтений[9] .

Однако следует подчеркнуть, что появление различных определений может привести к серьезным проблемам, поскольку даже в плюралистических обществах существует необходимость в определении смерти. Проблемы, возникающие в связи с определением понятия смерти, сложны, поскольку связаны с различными факторами, включая верования, научные и философские позиции[9] .

Важность этой темы связана с одним из самых сложных этических аспектов, присущих трансплантации органов. Многие пациенты сообщают о своих сомнениях в связи с неопределенностью, связанной со смертью донора полученного ими органа, что порождает тревогу, страх и неуверенность в том, стоит ли проводить трансплантацию. Тот факт, что пациент знает, что у него есть орган, который ему не принадлежит, и что человек должен был умереть, чтобы он мог жить, усиливает эмоциональную потребность '[923] .

В соответствии со статьей 4° Постановления № 1480/97 Федерального совета по медицине:

> Определяющими критериями смерти мозга являются: Апперцептивная кома с отсутствием супраспинальной двигательной активности и апноэ. Согласно статье 2° того же постановления[24] \, смерть мозга может быть констатирована только медицинским работником после проведения соответствующих клинических исследований.

Поэтому очень важно разъяснить общественности значение смерти мозга, представив все диагностические критерии в доступной форме, с научной точностью, чтобы не вызывать сомнений.

Еще одна актуальная дискуссия в области биоэтики касается принципов автономии, благодеяния, недеяния и справедливости. Эти принципы следует рассматривать как основу профессиональной этики в сфере здравоохранения[25] . В силу более тесной связи с темой мы решили контекстуализировать только первый принцип.

Автономия - это "принцип, который касается обязанности специалиста предоставлять всю необходимую информацию и права пациента на получение четкой информации, адаптированной к его пониманию, чтобы он мог принять решение относительно своей ситуации"[25 '26] .

Право на свободное и осознанное согласие включает в себя: "Право давать согласие, участвовать в лечении без принуждения, не будучи обманутым и компетентным; а также право отказаться от лечения в любое время". '[926] .

С этой точки зрения важным аспектом является эмоциональный аспект, который лежит в основе проблемы информированного согласия. Поскольку люди одновременно рациональны и эмоциональны, они могут подвергаться внешнему влиянию и даже неосознанным мотивам при принятии решений[9] .

Поэтому актуальны следующие вопросы: соответствует ли момент, когда пациент просит удалить трансплантат (из-за клинических или хирургических осложнений) и выражает желание вернуться к "аппарату гемодиализа", моменту хрупкости? Боль, применение иммунодепрессантов, длительный период госпитализации, разочарование в своих перспективах, беспокойство за свою семью дома, страх серьезного осложнения, ведущего к смерти? Кто может быть уверен, что просьба об удалении органа не является криком о помощи?

Вывод, который можно сделать из этой проблемы, заключается в том, что решение человека должно уважаться, но при этом ему должна быть предоставлена полная информация о последствиях его действий, гарантирующая его свободу и достоинство[9] .

Еще один этический аспект, который необходимо рассматривать в контексте трансплантации органов и тканей, - это торговля органами. Возможность торговли органами от живого донора, не являющегося родственником реципиента, - вопрос, имеющий отношение к биоэтике и законодательству. Закон № 9.434 от 4 февраля 1997 года разрешил донорство органов при жизни неродственниками при условии, что они дееспособны и не угрожают здоровью донора; однако, несмотря на то, что это было прямо предусмотрено, свободное донорство все равно может привести к продаже органов[27] .

Затем, 23 марта 2001 года, был принят закон № 10,211, который гласит:

> Дееспособному лицу разрешается бесплатно отчуждать ткани, органы и части живого тела в лечебных целях или для трансплантации супругам или кровным родственникам до четвертой степени [...], или любому другому лицу с разрешения суда [...][27] .

Намерение купить и продать может быть замаскировано альтруистическими заявлениями о помощи другим, учитывая уязвимое состояние донора, а также реципиента из-за неизбежности смерти[27] .

1.5 Качество жизни и эмоциональные аспекты

Качество жизни определяется как: "восприятие человеком своего положения в жизни в контексте культуры и системы ценностей, в которой он живет, и в связи с его целями, ожиданиями, стандартами и проблемами"[13] .

Качество жизни охватывает такие области функционирования, как психологическое состояние и благополучие, социальное взаимодействие, экономические и/или профессиональные условия или факторы, а также религиозные и/или духовные условия[13] . Качество жизни оценивается через восприятие индивидом каждой из этих областей '[1328] .

Что касается пациентов с хронической почечной недостаточностью (ХПН), то использование технологических ресурсов в терапевтических целях может оказаться недостаточным для улучшения качества их жизни[29] . Пациент становится зависимым от лечения диализом, что вызывает повышение уровня тревожности, а также другие психологические изменения, приводящие к снижению производительности труда и семейного дохода, сокращению социальной активности и возможностей трудоустройства, ограничению продолжительности жизни и потере самоуважения '[1530] ; часто проявляются физические или психические последствия .[29]

Тогда трансплантация представляется "ключом" к решению всех проблем хронической болезни почек, альтернативой для улучшения качества жизни этой клиентуры^ '1531 -*. Это технически сложное и психологически трудное решение '(1532).

Медицинские работники обязаны оценить общее состояние пациента, возможные риски и возможные улучшения для него, поскольку он стоит перед важным решением, которое касается его личности, его жизни и его смерти(32).

Однако длительное ожидание трансплантации может привести к другим осложнениям у пациента, что делает его подверженным высокому риску и, как следствие, увеличивает количество смертей. Пациенты испытывают сильную тревогу и эмоциональную депривацию, связанные с их трудным путешествием. Они также испытывают страх, связанный с неопределенностью развития болезни, возможностью отторжения, необходимостью принимать лекарства до конца жизни, неопределенным периодом ожидания трансплантации, невозможностью проведения хирургического вмешательства и задержкой выписки из-за осложнений '(1123).

Перспективы улучшения качества жизни с помощью трансплантации могут быть подорваны проблемами, возникающими после операции, такими как отторжение трансплантата или неблагоприятные эффекты, вызванные иммунодепрессантами '(1533).

Однако для многих пациентов с хронической почечной недостаточностью трансплантация по-прежнему является наилучшим вариантом, поскольку она дает наибольшие шансы на выживание и реабилитацию при меньших социальных затратах, чем диализ ' '(13134). В качестве примера можно привести большинство хронических уремиков, пациентов с конечной стадией почечной недостаточности ' '(143435), пациентов с конечной стадией болезни сердца, печени или легких, причем для последних трансплантация еще более ценна, поскольку это единственный вариант терапии, способный предотвратить смерть в течение нескольких месяцев, предлагая перспективу новой жизни '(134).

Длительный период лечения диализом приводит к определенным проблемам, таким как костные осложнения (остеодистрофия из-за вторичного гиперпаратиреоза), сердечно-сосудистые осложнения (гипертрофия левого желудочка, кальцификация сосудов), церебральные осложнения (прогрессирующий артериосклероз), а вероятность смерти среди пациентов на гемодиализе в 20 раз выше, чем в общей популяции '(2835).

Даже перед лицом такого количества осложнений, связанных с гемодиализом, стоит отметить, что трансплантация почки не должна рассматриваться как спасение от всех проблем пациентов с хронической болезнью почек; она должна рассматриваться как еще один вариант лечения, который может сопровождаться осложнениями, как и любое другое вмешательство. Однако понимание аспектов, связанных с качеством жизни и стратегиями преодоления, используемыми пациентами, перенесшими трансплантацию почки, может помочь в разработке профилактических и интервенционных программ, отвечающих потребностям этих пациентов '[13,15].

В исследовании, посвященном психологическим и психиатрическим аспектам трансплантации костного мозга (ТКМ), было отмечено следующее:

> Интенсивность и сложность ИМТ на различных уровнях оказывают глубокое психологическое воздействие на пациента, его семью и профессиональную команду, и мы подчеркиваем, что игнорирование этой реальности и сведение проблем ИМТ к чисто техническим аспектам может иметь катастрофические последствия для пациента и его семьи и поставить под угрозу выживание команды \.[4

Для того чтобы уменьшить изменения, подобные описанным выше, необходима предоперационная психологическая помощь^ '[011-36] \ Эта подготовка помогает выявить пациентов с высоким риском, нуждающихся в тщательной психологической помощи, и даже ограничить или противопоставить трансплантацию как метод лечения[36].

Депрессивный синдром характерен почти для всех хронических заболеваний и является причиной плохой приверженности к предложенному лечению, низкого качества жизни и более высокой заболеваемости и смертности среди пациентов[37].

Это расстройство является наиболее распространенным психологическим осложнением у диализных пациентов и представляет собой реакцию на реальную, угрожающую или воображаемую потерю. Психологические проявления, наблюдаемые у таких пациентов, - это стойкое подавленное настроение, ухудшение самооценки и пессимистические настроения. Физиологические жалобы включают нарушение сна, изменение аппетита и веса, сухость слизистой оболочки полости рта, запоры и снижение сексуального интереса '[38,39] \ Следует также отметить, что симптомы депрессии должны анализироваться очень тщательно, так как их можно спутать с симптомами уремии \[39

Депрессия поражает пациентов как до, так и после трансплантации. В целом существует четыре основных типа депрессии: расстройство адаптации с подавленным настроением, депрессивные расстройства, биполярные расстройства и расстройства настроения, вызванные болезнью или приемом лекарств[40]. Первый и последний типы подчеркиваются в связи с тем, что они в большей степени соответствуют особенностям, характерным для хронических пациентов и пациентов, перенесших трансплантацию.

При расстройстве адаптации с подавленным настроением депрессия может быть связана со стрессовым фактором. Пациент может упомянуть о смерти близкого человека, разводе, финансовых неудачах или потере устоявшейся роли в обществе, которая позволяла ему чувствовать себя нужным в какой-то деятельности, и эта потеря приводит к чувству вины. Расстройство возникает в течение трех месяцев после события и приводит к изменению социальной активности.

Симптомы варьируются от легкой грусти, тревоги, раздражительности, беспокойства, отсутствия концентрации, уныния и соматических жалоб. Расстройство настроения, вызванное болезнью или лекарствами, в основном затрагивает пациентов с хроническими заболеваниями. Такие состояния, как ревматоидный артрит, рассеянный склероз, хронические заболевания сердца и другие, могут приводить к депрессивным расстройствам[40] .

Что касается осложнений депрессии, то чем дольше она длится, тем сильнее укореняется. Самоубийство упоминается как наиболее серьезное осложнение. У пациентов с раком, респираторными заболеваниями, синдромом приобретенного иммунодефицита и тех, кто находится на гемодиализе, уровень самоубийств выше[40] . Что касается пациентов с трансплантацией почки, то депрессия обратно пропорциональна времени выживания трансплантата, но она может быть следствием потери трансплантата, а не его причиной .[5]

В Бразилии распространенность депрессии среди пациентов, перенесших трансплантацию почки, составляет от 5 до 25 %. Последствия депрессии оказывают значительное влияние на качество жизни, уровень самоубийств, приверженность лечению и смертность[30] .

1.6 Заключительные соображения

В связи с трансплантацией следует подчеркнуть два основных аспекта: значительное развитие технологий и государственная политика, направленная на трансплантацию органов и тканей в Бразилии, а также свидетельства того, что эмоциональным и социальным аспектам придается мало значения, что имеет благоприятные психологические последствия и сказывается на качестве жизни пациентов.

С другой стороны, в литературе говорится о том, что медицинские работники по-прежнему недостаточно подготовлены к диагностике смерти мозга и определению возможного донора, а также к тому, чтобы сообщать о случаях в центры трансплантации и обращаться к членам семьи с просьбой о донорстве, и в качестве следствия приводится увеличение числа смертей в списках ожидания.

Приоритетом является наличие подготовленных многопрофильных команд, способных сотрудничать в своих областях в процессе донорства органов и подготовки пациента к трансплантации.

Ссылки

1 Garcia VD, Abbud-Filho M, Campos HH, Pestana JOM. Трансплантационная политика в Бразилии In: Garcia VD, Abbud Filho M, Neumann J, Pestana JOM. Трансплантация органов и тканей. São Paulo: Segmento Farma Editora; 2006. p. 43-9.

2 Пьетровск В., ДалиАгнол СМ. Значимые ситуации в пространстве-контексте гемодиализа: что говорят пользователи услуг? Rev bras enferm. 2006; 59(5):630-5.

3 Brandão de Carvalho Lira AL, Cavalcante Guedes MV, Oliveira Lopes MV. Подростковый почечный криз: физические, социальные и эмоциональные изменения после трасплантации. Rev Soc Esp Enferm Nefrol. 2005;8(4):12-6.

4 Contei JOB, Sponholz Jr A, Torrano-Massetti LM, Almeida AC, Oliveira EA, Jesus JS, et al. Психологические и психиатрические аспекты трансплантации костного мозга. Medicina, Ribeirão Preto. 2000;33(3):294-311.

5 Акман Б., Оздемир Ф.Н., Сезер С., Микозкадиоглу X., Хаберал М. Уровень депрессии до и после трансплантации почки. Transplant proc. 2004;36(l): 111-3.

6 Zimmermann PR, Carvalho JO, Mari JJ. Влияние депрессии и других психосоциальных факторов на прогноз хронических почечных больных. Rev psiquiatr Rio Gd Sul. 2004; 26(3):312-8.

7 Amâncio JS, Borges MP, Oliveira A, Magalhães EF, Oliveira LHS, Bemardes RC. Оценка качества жизни и жалоб хронических почечных больных, находящихся на гемодиализе. В сборнике: Материалы XI Латиноамериканской научной инициативной встречи, VII Латиноамериканской аспирантской встречи - Университет Вале-ду-Параиба, I Научной инициативной встречи старшеклассников; 2007; Сан-Жозе-дус-Кампус. São José dos Campos: Universidade do Vale do Paraíba; 2007. p. 2011-4.

8 Virzi A, Signorelli MS, VerouxM, Giammarresi G, Maugeri S, Nicoletti A, et al. Депрессия и качество жизни при трансплантации почки при живом родственнике. Transplant proc. 2007;39(6): 1791-3.

9 Торрес ВК. Биоэтика и психология здоровья: размышления о вопросах жизни и смерти. Psicol reflex crit. 2003;16(3):475- 82.

10 Кастро Е.К. Хронический почечный пациент и трансплантация органов в Бразилии: психосоциальные аспекты. Rev SBPH. 2005;8(l):l-14.

11 Мартинс ПД, Санкаранкутти АК, Сильва ОК, Горайеб Р. Психический дистресс у пациентов, включенных в список на трансплантацию печени. Acta cir bras. 2006;21 Suppl 1: 40-3

12 Перейра Е, Менегатти С, Персегона Л, Аита КА, Риелла МК. Психологические аспекты пациентов с диабетом, являющихся кандидатами на трансплантацию островков поджелудочной железы. Arq bras psicol [журнал в Интернете]. 2007 Aug 22 [доступ в 2008 Sep 22]. Available at: http: // seer.psicologia.ufij .br/seer/lab 19/oj s/viewarticle.php?id=23.

13 Ravagnani LMB, Domingos NAM, Miyazaki MCOS. Качество жизни и стратегии преодоления трудностей у пациентов, перенесших трансплантацию почки. Estud psicol. (Natal). 2007; 12 (2): 177-84.

14 Pereira LC, Chang J, Fadil-Romão MA, Abensur H, Araújo MRT, Noronha IL, et al. Качество жизни, связанное со здоровьем, у пациентов с почечным трансплантатом. J bras nefrol. 2003;25(l):10-6.

15 Мендес АС, Ширатори К. Восприятие пациентов, перенесших трансплантацию почки. Сестринское дело (Сан-Паулу). 2002;5(44): 15-22.

16 Манфро RC, Норонья IL, Сильва Фильо АР, редакторы. Руководство по трансплантации почки. I[a] ed. São Paulo: Manole; 2004.

17 Барселлос ФК. Намерение пожертвовать органы среди взрослого населения [диссертация в Интернете]. Пелотас: Федеральный университет Пелотаса, медицинский факультет; 2003 [2008 Oct 24]. Доступно на: http://www.abto.org.br/profissionais

18 Сильва ПР. Трансплантация сердца и сердечно-легочной системы: 100 лет истории и 40 лет существования. Rev Bras Cir Cardiovasc. 2008;23(l): 145-52.

19 Мис С. Трансплантация печени. AMB rev. Assoe. Med. Bras. 1998;44(2): 127-34.

20 Cavalcanti FCB, Paula FJ. Отношение членов семьи к донорству трупных органов In: Cruz J, Barros RT, организаторы. Текущие события в нефрологии. São Paulo: Sarvier; 1996. v. 4, p. 276-9.

21 Роза Т.Н. Биоэтика и конфиденциальность трупных доноров при трансплантации почки. Диссертация в Интернете]. Бразилия: Федеральный университет Бразилии, факультет наук о здоровье; 2007 [2008Sept23]. Disponívelem : http://bdtd.bce.unb.br/tedesimplificado/tde_arquivos/6/TDE-2008-04-11T152850Z-2525/Publico/Dissertacao_Telma%20Rosa.pdf

22 Д'Империо Ф. Смерть мозга, помощь донорам органов и трансплантация легких. Rev. bras. ter. intensiva [журнал в Интернете]. 2007 Jan-Mar [доступ в 2008 Nov 30]; 19(l):[около 10p.]. Available at: http://www.scielo.br/scielo.php?script=sci_arttext&pid=S0103-507X2007000100010&lng=en. doí: 10.1590/S0103-507X2007000100010

23 Massarollo MC, Kurcgant P. Опыт медсестер в программе трансплантации печени в государственной больнице. Rev latinoam enferm. 2000;8(4):66-72.

24 Queiroz, VS. Reflexões acerca da equação da anencefalia à morte encefálica como justificativa para a interrupção da gestação de fetos anencefállicos . Jus Navigandi, 3 Aug. 2005 9(760).

25 Юнгес Дж. Р. Биоэтика: герменевтика и казуистика. Сан-Паулу: Лойола; 2006.

26 Фаббро, Л. Правовые ограничения автономии пациента. Rev. Bioét [журнал в Интернете]. 1999 [доступ 2007 Aug 23]; 7(l):[около 5 с.]. Available at: http://www.cremeb.cfm.org.br/revista/indlv7.htm

27 Пассариньо ЛЕВ, Гонсалвес МП, Гаррафа В. Биоэтическое исследование трансплантации почки от неродительских живых доноров в Бразилии: неэффективность законодательства в предотвращении торговли органами. AMB rev. Assoe. Med. Bras [периодическое издание в Интернете]. 2003 [доступ в 2008 г. 30 ноября]; 49(4):[около 8 с.]. Available at: http://www.scielo.br/scielo.php?script=sci_arttext&pid=S0104- 42302003000400028&lng=en. doi: 10.1590/S0104-42302003000400028.

28 Amato MS, Amato Neto V, Uip DE. Оценка качества жизни пациентов с болезнью Шагаса, перенесших трансплантацию сердца. Rev Soc Bras Med Trop. 1997;30(2): 159-60.

29 Zanei SS. Анализ инструментов оценки качества жизни WHOQOL-BREF и SF-36: надежность, валидность и согласие среди пациентов отделений интенсивной терапии и членов их семей [тезисы]. Сан-Паулу: Университет Сан-Паулу; 2006.

30 Алмейда АМ, Мелейро AMAS. Депрессия и хроническая почечная недостаточность. J bras nefrol. 2000; 22(1): 192-200.

31 Cunha CB, Leon ACB, Schramm JMA, Carvalho MS, Paulo Júnior RBS, Chain R. Время до трансплантации и выживаемость у пациентов с хронической почечной недостаточностью в штате Рио-де-Жанейро, Бразилия, 1998-2002 гг. Cad saúde pública. 2007;23(24);805-13.

32 Штайнер П., Виейра MCR. Донорство органов: закон, рынок и семьи. Tempo Soc [периодическое издание в Интернете]. 2004 Nov [accessed 2008 Nov 30]; 16(2):[около 22 с.]. Available at: http://www.scielo.br/scielo.php?script=sci_arttext&pid=S0103-20702004000200005&lng=en&nrm=iso doi: 10.1590/S0103-20702004000200005.

33 Bittencourt ZZLC, Alves Filho G, Mazzali M, Santos NR. Качество жизни у пациентов с почечным трансплантатом: важность функционирующего трансплантата. Rev Saúde Pública. 2004; 38(5):732-4.

34 Garcia VD. Por uma política de transplantes no Brasil, Office Editora e Publicidade Ltda, São Paulo (2000).

35 Santos PR, Pontes LR Sansigolo K. Изменение качества жизни у пациентов с почечной

недостаточностью в течение 12 месяцев наблюдения. AMB rev. Assoe. Med. Bras [периодическое издание в Интернете]. 2007 Aug [доступ в 2008 Nov 29]; 53(4):[около 5 p.]. Available at: http://www.scielo.br/scielo.php?script=sci_arttext&pid=S0104-42302007000400018&lng=en. doi: 10.1590/S0104-42302007000400018

36 Сильва, РМГ. Важность психологических аспектов при определении показаний к трансплантации почки и их биоэтические последствия [диссертация]. Жоинвиль (SC): Университет Региона Жоинвиль; 2003.

37 Teng CT, Humes EC, Demetrio FN. Депрессия и сопутствующие клинические заболевания. Rev psiquiatr clín (São Paulo). 2005;32(3): 149-59.

38 Kimmel PL, Peterson RA, Weihs KL, Simmens SJ, Alleyne S, Cruz I, et al. Множественные измерения депрессии предсказывают смертность в продольном исследовании амбулаторных пациентов, находящихся на хроническом гемодиализе. Kidney Int. 2000;57(5):2093-8.

39 Даугирдас JT, Блейк PG, Инг TS, редакторы. Руководство по диализу. 3ª ed. Rio de Janeiro: Medsi, 2003.

40 Tiemey LM Jr, McPhee SJ, Papadakis MA. Диагностика и лечение болезни Ланге. Сан-Паулу: Атенеу; 1998.

ГЛАВА 2

ОРИГИНАЛЬНАЯ СТАТЬЯ

Депрессия и качество жизни у пациентов до и после трансплантации почки*

Депрессия и качество жизни у пациентов до и после трансплантации почки

Патрисия Мадруга Рего Баррос, студентка магистратуры по медицинским наукам в UFPE, специалист по сестринскому делу в нефрологии и медсестра в больнице дас Клиникас, Ресифи-ПЕ, Бразилия.
Лусиан Соарес де Лима, доктор пневмологических наук из UNIFESP/EPM и профессор[1] . Адъюнкт-профессор кафедры сестринского дела в UFPE.

*Исследование проводилось в амбулатории почечной трансплантации больницы Hospital das Clínicas Федерального университета Пернамбуку, Ресифи, Бразилия.

Адрес для переписки:
Патрисия Мадруга Рего Баррос
Rua Capitão Ponciano, 63 CEP 50780-40 - Ресифи, штат Пенсильвания, - Бразилия
e-mail: patricia-madruga@hotmail.com

Резюме

Цель: проанализировать распространенность депрессии и качество жизни у почечных пациентов до и после трансплантации, наблюдавшихся в амбулаторной клинике по трансплантации почки при Клинической больнице Федерального университета Пернамбуку (HC-UFPE). **Метод:** описательное исследование с количественным перекрестным подходом, проведенное в период с июля по декабрь 2007 года. Для сбора данных использовались три инструмента: анкета для характеристики выборки, опросник депрессии Бека (BDI) и опросник SF-36 для оценки качества жизни. Выборка состояла из двух групп: пациентов до трансплантации почки (59 человек) и пациентов с трансплантацией почки (63 человека), всего 122 пациента. Критериями включения были возраст старше 18 лет и срок от 6 месяцев до 2 лет после трансплантации. Критерием исключения было наличие ранее поставленного диагноза психиатрического заболевания. **Результаты:** Средний возраст пациентов до трансплантации составил 47 лет, 57,6% из них были мужчинами, а пациентов после трансплантации - 39 лет, 55,6% из которых были мужчинами. Среднее время нахождения на диализе в первой группе составило 3 года и 3 месяца, во второй - 6 лет и 8 месяцев. Среднее время трансплантации составило 1 год и 3 месяца. Большинство пациентов в обеих группах не страдали депрессией, что составило 88,9 % среди пациентов, перенесших трансплантацию, и 79,6 % среди пациентов до трансплантации. Среди пациентов с той или иной степенью депрессии не было существенной разницы между пациентами до трансплантации или уже перенесшими трансплантацию (p = 0,470). Длительность периода после трансплантации почки и лечения диализом также не выявила связи с уровнем депрессии (p = 0,547 и p = 0,089) соответственно. Качество жизни было выше у пациентов, перенесших трансплантацию, чем у тех, кто ожидал этой процедуры. Домены опросника SF-36, которые определяли лучшее качество жизни у пациентов с трансплантацией, включали функциональные возможности (p = 0,001), боль (p = 0,027), общее состояние здоровья (p = 0,049) и жизнеспособность (p = 0,000). **Заключение:** данное исследование показало низкую распространенность депрессии как у пациентов до, так и после трансплантации почки. Качество жизни было выше в группе трансплантации.

Ключевые слова: Депрессия, качество жизни, трансплантация органов, хроническое заболевание.

2.1 Введение

Хроническую почечную недостаточность (ХПН) можно представить как медленную и прогрессирующую потерю функции почек, приводящую к таким нарушениям внутренней среды, как азотемия, анемия, метаболический ацидоз, гиперфосфатемия, гиперкальциемия и гипонатриемия. Повышение уровня мочевины в сыворотке крови, особенно мочевины, и клиренс креатинина менее 10 мл/мин характеризуют уремический синдром, признаки и симптомы которого особенно сильно затрагивают желудочно-кишечный, нервный и сердечно-легочный тракты. Пациенты могут испытывать слабость, тошноту, рвоту, анорексию, желудочно-кишечные кровотечения, парестезии, гипертонию, раздражительность, тревогу, депрессию и др.[1] .

Поскольку это прогрессирующее заболевание, его развитие не одинаково у всех людей, оно варьируется в зависимости от основных причин, скорости выведения белка с мочой и степени гипертонии у каждого пациента[2] .

CRF делится на стадии в зависимости от функции почек пациента. Вначале повреждения почек и изменения их функции отсутствуют. Постепенно почки снижают скорость фильтрации, происходит изменение уровня мочевины и креатинина в сыворотке крови, появляются признаки и симптомы, связанные с основной причиной заболевания. Наконец, почки теряют контроль над внутренней средой, что требует заместительной почечной терапии (ЗПТ)[3] .

Заместительная почечная терапия направлена на поддержание пациента в подходящих условиях с метаболической и клинической точки зрения, а также на адаптацию к лечению. Однако, когда речь идет о диализе, полная реабилитация не достигается, в отличие от трансплантации, которая успешно реабилитирует субъективно и объективно, и с отличным соотношением затрат и пользы[4] .

Достижения в области диализных технологий внесли значительный вклад в увеличение выживаемости пациентов с КРР '[56] . Тем не менее, пребывание на диализе в течение неопределенного периода времени может нарушить качество их жизни .[5]

Исследования показывают более высокое качество жизни после трансплантации '[78] , благодаря возможности вернуться к нормальной деятельности, однако трансплантация может быть связана с неудовлетворительными показателями среди тех, кто перенес острое отторжение, или неблагоприятными последствиями от применения иммунодепрессантов[7] .

В настоящее время качество жизни определяется в зависимости от области применения, охватывая две тенденции: первая представляет собой общую концепцию, которая подчеркивает аспекты, связанные со степенью удовлетворенности семейной, аффективной, социальной и экологической жизнью, соотносясь со стандартом, который общество считает комфортом и благополучием. Вторая тенденция связана со здоровьем и рассматривает влияние болезней и их лечения на качество жизни пациентов[9] .

Качество жизни, связанное со здоровьем, обусловлено опытом каждого пациента, то есть тем, как последствия болезни и ее лечения влияют на повседневную жизнь и удовлетворенность каждого человека^' [101 г)] .

Забота о психосоциальных аспектах является основополагающей для успеха лечения[1213] , поскольку они напрямую влияют на восприятие и оценку болезни, приверженность лечению и качество жизни пациентов с КРР[13] .

Депрессия считается наиболее распространенным психологическим осложнением у диализных пациентов. Среди наиболее распространенных психологических проявлений у этой категории пациентов: стойкое подавленное настроение, ухудшение самооценки и чувство пессимизма. Физиологические жалобы включают: изменение аппетита и веса, нарушения сна и снижение сексуального интереса[14] . Кандидаты на трансплантацию почки часто испытывают психологические изменения, и депрессия является одним из них[15] .

Пациенты, перенесшие трансплантацию, могут испытывать потерю интереса практически ко всем видам деятельности, а также снижение аппетита, нарушения сна, упадок сил, чувство вины или никчемности и ухудшение мышления. Часто могут возникать мысли о смерти, суицидальные мысли или попытки самоубийства, которые чаще всего встречаются в случаях отторжения органа и возвращения на диализ \.[1516]

Все вышесказанное свидетельствует о важности эмоциональных аспектов и качества жизни при наблюдении за пациентами с КРР, ожидающими орган в предтрансплантационной очереди, а также за теми, кто уже прошел эту процедуру.

Цель исследования - проанализировать распространенность депрессии и качество жизни у пациентов с почечной недостаточностью до и после трансплантации, наблюдавшихся в амбулаторной клинике по трансплантации почки при Клинической больнице Федерального университета Пернамбуку (UFPE).

2.2 Пациенты и методы

Это описательное исследование с количественным перекрестным подходом, проведенное в амбулаторной клинике почечной трансплантации больницы Hospital das Clínicas da UFPE, где лечатся исключительно пациенты из Единой системы здравоохранения (SUS).

Выборка состояла из 122 пациентов. Из пациентов с трансплантацией, проходивших лечение в амбулаторной клинике, в выборку попали 82 человека. 12 умерли, 4 не посещали плановые приемы в период сбора данных, один (1) отказался от участия и 2 выбыли из программы, что составило группу из 63 пациентов. Что касается пациентов до трансплантации, то они составили группу из 59 человек и были отобраны для удобства, учитывая период сбора данных и исследования, в которых оценивалась встречаемость депрессии и/или качество жизни у пациентов с КРР ' '[162029] . Критериями включения в выборку были: возраст старше 18 лет и срок от 6 месяцев до 2 лет после трансплантации. Критериями исключения были: пациенты с психическими расстройствами, диагностированными врачебной бригадой. Сбор данных проводился с июля по декабрь 2007 года. Использовались три инструмента сбора данных (все применялись автором в ходе одного интервью): форма для характеристики выборки, опросник депрессии Бека (BDI), пересмотренная версия 1979 года '[1718] и опросник здоровья Medical Outcomes Study 36-item Short Form Health Survey (SF-36), инструмент, валидированный в Бразилии в 1997 году[19] .

Анкета, используемая для характеристики выборки, включает идентификационные и демографические данные, а также данные о заболевании и лечении.

Опросник депрессии Бека (Beck Depression Inventory, BDI), вероятно, является наиболее широко используемой мерой самооценки депрессии, как в исследованиях, так и в клинической практике, он был переведен на несколько языков и валидирован в разных странах. Его надежность и валидность высоки, и он может использоваться как в клинических выборках, так и в общей популяции[18] .

Общая оценка по шкале BDI выставляется путем сложения цифр, стоящих рядом с вопросами, - они присваиваются пунктам, выбранным пациентом. Оценка по шкале Бека определяется следующим образом: отсутствие депрессии = <15; легкая депрессия = 15-20; легкая и умеренная депрессия = 20-30 и тяжелая депрессия = 30-63[18] .

Оригинальная шкала состоит из 21 пункта, включающего симптомы и установки, интенсивность которых варьируется от 0 до 3. Пункты касаются печали, пессимизма, чувства вины, чувства наказания, самоуничижения, самообвинения, суицидальных идей, приступов плача, раздражительности, социальной замкнутости, нерешительности, искажения образа тела, торможения в работе, нарушения сна, усталости, потери аппетита, потери веса, соматической озабоченности и снижения либидо - ^.[11]

Опросник SF-36 - это общий инструмент оценки качества жизни, состоящий из 36 пунктов, сгруппированных в восемь компонентов: функциональные возможности, физические ограничения, боль, общее здоровье, жизнеспособность, социальные аспекты, эмоциональные аспекты и психическое здоровье[5] . Это один из наиболее широко используемых инструментов для оценки качества жизни, применимый к различным типам заболеваний и, следовательно, оценивающий качество жизни, связанное со здоровьем \.[9]

Для оценки результатов были подсчитаны баллы, причем каждому ответу соответствовал определенный балл. Затем эти значения были преобразованы в баллы для восьми доменов в диапазоне от 0 (ноль) до 100 (сто), где 0 (ноль) считается наихудшим значением, а 100 (сто) - наилучшим для каждого домена \.[19]

Для ввода данных использовались программы SPS 13.0 для Windows и Excel 2003, все тесты применялись с надежностью 95%.

Для количественных переменных использовался тест нормальности Колмогорова-Смимова. Существование связи проверялось с помощью точного теста Фишера и теста Хи-квадрат для категориальных переменных, среднего теста; Т-теста Стьюдента (нормальное распределение) и Манна-Уитни (ненормальное); среднего теста (при наличии более двух групп); Anova (нормальное распределение) и Kruskal Wallis (ненормальное) также использовались для статистического анализа данных.

Все пациенты предварительно подписали форму информированного согласия. Проект был одобрен Комитетом по этике научных исследований Центра наук о здоровье Федерального университета Пернамбуку под номером САAE-0049.0.172.000-07.

2.3 Результаты

В таблице 1 показано, что из 59 пациентов до трансплантации 34 (57,6%) были мужчинами, 32 (54,2%) проживали в столичном регионе Ресифи, большинство из них, 17 (28,8%), были пенсионерами и только 3 (5,1%) сообщили, что не имели профессии на момент интервью, 30 (50,8%) закончили начальную школу, 5 (8,5%) имели высшее образование с последипломной квалификацией и только 3 (5,1%) были неграмотными.

Из 63 пациентов, перенесших трансплантацию, 35 (55,6%) были мужчинами, 32 (50,8%) проживали в столичном регионе Ресифи, большинство пациентов, 27 (42,8%), были бенефициарами, и только 2 (3,2%) сообщили, что не имели профессии на момент интервью, 34 (53,9%) закончили начальную школу, 1 (1,6%) имел высшее образование с последипломной квалификацией и только 1 (1,6%) был неграмотным.

Социально-демографические характеристики были схожи между группами, что свидетельствует об однородности исследуемой выборки.

Таблица 1: Пациенты с почками до и после трансплантации в соответствии с социально-демографическими характеристиками, наблюдаемые в амбулаторной клинике Hospital das Clínicas. Ресифи, 2007.

Переменные	Группы				p-value
	После трансплантации		До трансплантации		
	n	%	n	%	
Секс					
Мужчина	35	55,6	34	57,6	0,962 *
Женщина	28	44,4	25	42,4	
Резиденция					
RMR	32	50,8	32	54,2	0,842 *
Другие	31	49,2	27	45,8	
Профессия					
Профессиональная деятельность	18	28,6	13	22,0	0,123 **
Главная	6	9,5	5	8,5	
В отставке	7	Н,1	17	28,8	
Бенефициар	27	42,8	16	27,1	
Студент	3	4,8	5	8,5	
Не занимать	2	3,2	3	5,1	
Образование					
Неграмотный	1	1,6	3	5,1	0,294 **
Начальная школа неполная	3	4,8	4	6,8	
Полное начальное образование	34	53,9	30	50,8	
Окончил среднюю школу	24	38,1	17	28,8	
Высшее образование с квалификацией аспиранта	1	1,6	5	8,5	

(*) Тест хи-квадрат

(**) Точный тест Фишера

Из таблицы 2 видно, что средний возраст пациентов до трансплантации составлял 47 ± 12,38 лет, средний доход - 380,00 реалов, а среднее время нахождения на диализе - 39,63 месяца, что эквивалентно 3 годам и 3 месяцам.

Средний возраст реципиентов трансплантата составил 39 ± 10,39 лет, доход - 380,00 реалов, среднее время пребывания на диализе - 82,05 месяца, что соответствует 6 годам и 10 месяцам.

Средняя продолжительность трансплантации составила 1 год и 3 месяца. Эти данные не приведены в таблице, поскольку относятся только к одной из исследуемых групп; однако они рассматриваются в обсуждении.

Среднее время диализа также было рассмотрено в ходе обсуждения, поскольку оно имеет отношение к исследованию.

Таблица: Пациенты с почками до и после трансплантации в зависимости от возраста, дохода и времени нахождения на диализе, наблюдавшиеся в амбулаторной клинике Hospital das Clínicas. Ресифи, 2007 г.

Переменные	Группы				p-value
	После трансплантации		До трансплантации		
	Среднее	**DP**	**Среднее**	**DP**	
Возраст	39,3	±10,39	47,1	±12,38	0,000 *
	Медиана	**Q1; Q3 1**	**Медиана**	**Q1;Q3**	
Доход	380,00	380,00; 900,00	380,00	380,00; 700,00	0,328 **
	Среднее	**DP**	**Среднее**	**DP**	
Время диализа	6,8	±4,51	3,3	±2,79	0,000 **

(1) t-тест Стьюдента

(2)) Тест Манна-Уитни

В таблице 3 показано, что У 47 (79,6%) пациентов до трансплантации не было депрессии, у 7 (11,9%) была умеренная или тяжелая депрессия, у 4 (6,8%) - легкая депрессия и у 1 (1,7%) - тяжелая депрессия.

Среди реципиентов трансплантата: у 56 (88,9%) не было депрессии, у 4 (6,3%) была умеренная или тяжелая депрессия, у 3 (4,8%) - легкая депрессия, и ни у одного пациента не было тяжелой депрессии.

Таблица 3: Пациенты с почечной недостаточностью до и после трансплантации в зависимости от уровня депрессии, наблюдавшиеся в амбулаторной клинике Hospital das Clínicas. Ресифи, 2007 г.

Уровень депрессии	Группы				p-value *
	После трансплантации		До трансплантации		
	n	%	n	%	
Без депрессии	56	88,9	47	79,6	
Умеренная депрессия	3	4,8	4	6,8	
Умеренная и тяжелая депрессия	4	6,3	7	11,9	0,470

Тяжелая депрессия	**0**	0,0	1	1,7	
Всего	**63**	**100,0**	**59**	**100,0**	

(*) Точный тест Фишера

В таблице 4 показано, что У 38 (86,4%) реципиентов трансплантата, которым исполнилось от 1 до 2 лет, депрессия отсутствовала, у 4 (9,1%) была умеренная или тяжелая депрессия, а у 2 (4,5%) - легкая депрессия. Среди пациентов, которым трансплантация была проведена в течение 1 года или менее, у 18 (94,7 %) не было депрессии, и только у 1 (5,3 %) была легкая депрессия.

Таблица 4: Пациенты с почечной недостаточностью до и после трансплантации в зависимости от уровня депрессии и времени, прошедшего с момента трансплантации, наблюдавшиеся в амбулаторной клинике Hospital das Clínicas. Ресифи, 2007 г.

Уровень депрессии	**Время трансплантации**				**p-value ***
	≤ 1 год		**> 1 года и ≤ 2 лет**		
	n	**%**	**n**	**%**	
Без депрессии	18	94,7	38	86,4	
Умеренная депрессия	1	5,3	2	4,5	
Умеренная и тяжелая депрессия	**0**	0,0	4	9,1	0,547
Всего	**19**	**100,0**	**44**	**100,0**	

(*) Точный тест Фишера

В таблице 5 показано, что среди пациентов, находящихся на диализе менее 4 лет, 49 (83%) не имели депрессии, 6 (10,2%) имели легкую депрессию, 3 (5,1%) - умеренную и тяжелую, и 1 (1,7%) - тяжелую депрессию.

Среди пациентов, которые находились на диализе от 4 до 8 лет, у 30 (90,9%) не было депрессии, у 2 (6,1%) была умеренная или тяжелая депрессия, только у 1 (3%) была легкая депрессия, и ни у одного пациента не было тяжелой депрессии.

Среди пациентов, которые находились на диализе 8 лет и более, у 24 (80 процентов) не было депрессии, у 6 (20 процентов) была умеренная или тяжелая депрессия, и ни у кого из выборки не было легкой или тяжелой депрессии.

Таблица 5: Пациенты с почечной недостаточностью до и после трансплантации в зависимости от уровня депрессии и продолжительности пребывания на диализе, наблюдавшиеся в амбулаторной клинике Hospital das Clínicas. Ресифи, 2007 г.

Уровень депрессии	Время диализа						p-value*
	< 4 года		**4 |-8**		**≥8**		
	n	%	**n**	%	**n**	%	

Без депрессии	49	83,0	30	90,9	24	80,0	
Умеренная депрессия	**6**	10,2	1	3,0	0	0,0	
Умеренная и тяжелая депрессия	3	5,1	2	6,1	6	20,0	0,089
Тяжелая депрессия	1	1,7	0	0,0	0	0,0	
Всего	**59**	**100,0**	**33**	**100,0**	**30**	**100,0**	

(*) Точный тест Фишера

Таблица 6 показывает, что у пациентов до трансплантации социальные аспекты, ограничения, связанные с эмоциональными аспектами, и психическое здоровье имели самые высокие значения, соответствующие 90,0 (± 23,53 SD), 77,4 (± 41,73 SD) и 76,6 (± 19,76 SD), соответственно, затем следуют области: боль - 69,3 (± 30,20 SD), ограничения по физическим аспектам - 68,6 (± 45,15 SD), жизнеспособность - 67,0 (± 22,95), функциональные возможности - 66,1 (± 31,43 SD) и, наконец, общее состояние здоровья - 63,7 (± 24,48).

Среди реципиентов трансплантата выделялись следующие области: ограничения, связанные с эмоциональными аспектами, - 87,8 (± 32,41 SD), функциональными возможностями - 82,6 (± 22,38 SD) и социальными аспектами - 82,1 (± 30,18 SD), затем следовали: жизнеспособность - 80,4 (± 21,8 SD), боль - 78,8 (±

31,65 SD), психическое здоровье - 74,1 (± 21,45 SD) и, наконец, общее состояние здоровья - 71,1 (± 28,47 SD).

Таблица 6: Пациенты с почечной недостаточностью до и после трансплантации в соответствии со средними баллами по доменам опросника SF-36, наблюдавшиеся в амбулаторной клинике Hospital das Clínicas. Ресифи, 2007 г.

Домены опросника SF-36	**Группы**		**p-value**
	После трансплантации Среднее ± SD	**До трансплантации Среднее ± SD**	
Функциональные возможности	82,6 ±22,38	66,1 ±31,43	0,001 *
Ограничение по физическим аспектам	77,0 ±41,71	68,6 ±45,15	0,335 *
Боль	78,8 ±31,65	69,3 ± 30,20	0,027 *
Общее состояние здоровья	71,1 ±28,47	63,7 ± 24,48	0,049 *
Vitality	80,4 ±21,58	67,0 ± 22,95	0,000 *
Социальные аспекты	82,1 ±30,18	90,0 ± 23,53	0,099 *
Ограничение по	87,8 ± 32,41	77,4 ±41,73	0,111 *

эмоциональным аспектам			
Психическое здоровье	74,1 ±21,45	76,6 ±19,76	0,502 **

(*) тест Манна-Уитни

(**) t-тест Стьюдента

В таблице 7 показано, что в группе со сроком менее или равным 1 году, самый высокий процентиль соответствует ограничению по эмоциональным аспектам - 91,2 (± 26,86 SD), далее следуют: боль - 86,0 (± 25,4 SD), функциональные возможности - 83,0 (± 17,58 SD), жизнеспособность - 80,79 (± 18,13 SD), ограничение по физическим аспектам - 76,3 (± 41,23 SD), социальные аспекты - 75,7 (± 31,86 SD), психическое здоровье - 74,5 (± 16,72 SD) и, наконец, общее состояние здоровья - 66,1 (± 30,54 SD).

В группе с длительностью трансплантации один год и более наблюдались следующие области в порядке убывания: ограничение эмоциональными аспектами, 86,4 (± 34,71 SD), социальными аспектами, 84,9 (± 29,36 SD), функциональными возможностями, 82,5 (± 24,34 SD), жизнеспособностью, 80,2 (± 42,39 SD), болью, 75,8 (± 33,8 SD), психическим здоровьем, 73,9 (± 23,38 SD) и, наконец, общим состоянием здоровья, 73,3 (± 27,61 SD).

Таблица 7: Пациенты с почечной недостаточностью до и после трансплантации в соответствии со средними баллами в областях опросника SF-36, в зависимости от времени, прошедшего после трансплантации, наблюдавшиеся в амбулаторной клинике Hospital das Clínicas. Ресифи, 2007 г.

Домены опросника SF-36	Время трансплантации		p-value
	≤ 1 год	≤ 2 года	
	Среднее ± SD	Среднее ± SD	
Функциональные возможности	83,0 ± 17,58	82,5 ± 24,34	0,433 *
Ограничение по аспектам Физическая	76,3 ±41,23	77,3 ± 42,39	0,594 *
Боль	86,0 ± 25,40	75,8 ± 33,80	0,263 *
Общее состояние здоровья	66,1 ±30,54	73,3 ± 27,61	0,442 *
Vitality	80,79 ± 18,13	80,2 ±23,10	0,733 *
Социальные аспекты	75,7 ±31,86	84,9 ± 29,36	0,187*
Ограничение по эмоциональным аспектам	91,2 ±26,86	86,4 ± 34,71	0,678 *
Психическое здоровье	74,5 ± 16,72	73,9 ±23,38	0,918 **

(*) тест Манна-Уитни

(**) t-тест Стьюдента

В таблице 8 показано, что в группе с диализом менее 4 лет самые высокие средние показатели следуют друг за другом в порядке убывания: социальные аспекты, 85,6 (± 28,13 SD), ограничение по эмоциональным аспектам, 78 (± 41,8 SD), боль, 77,6 (± 29,72 SD), ограничение по физическим аспектам, 74,6 (± 42,67 SD), психическое здоровье, 72,8 (± 29,73 SD), жизнеспособность, 71,69 (± 21,67 SD) и общее состояние здоровья, 65,8 (± 25,75 SD).

В группе с продолжительностью диализа от 4 до 8 лет самый высокий средний показатель был у ограничений, связанных с эмоциональными аспектами, - 91,9 (± 26,39 SD), далее следуют социальные аспекты, 87,9 (± 26,61 SD), психическое здоровье, 81,6 (± 16,18 дп), жизнеспособность, 78,9 (± 20,98 дп), функциональные возможности, 78,9 (± 25,53 дп), ограничения, связанные с физическими аспектами, 75 (± 43,3 дп), боль, 74,2 (± 29,5 дп) и, наконец, общее состояние здоровья, 71,4 (± 27,68).

В группе с 8 и более годами диализа наблюдались следующие показатели в порядке убывания: социальные аспекты, 84,58 (± 27,4 SD), ограничения, связанные с эмоциональными аспектами, 82,2 (± 37,89 SD), функциональные возможности, 73,7 (± 28,62 SD), жизненная сила, 72,7 (± 27,82 SD), боль, 67,5 (± 35,56 SD), ограничения, связанные с физическими аспектами, 67,5 (± 46,03 SD) и, наконец, общее состояние здоровья, 66,6 (± 28,16 SD).

Таблица 8: Пациенты с почечной недостаточностью до и после трансплантации в соответствии со средними баллами по доменам опросника SF-36, в зависимости от продолжительности пребывания на диализе, наблюдаемые в амбулаторной клинике Hospital das Clínicas. Ресифи, 2007 г.

Домены **SF-36**	Время диализа			p-value
	< 4 года	**4 |-8**	**≥8**	
	Среднее ± SD	Среднее ± SD	Среднее ± SD	
Вместимость Функциональный	72,8 ± 29,73	78,8 ± 25,53	73,7 ± 28,62	0,680 *
Ограничение по Физические аспекты	74,6 ±42,67	75,0 ±43,30	67,5 ±46,03	0,642 *
Боль	77,6 ±29,72	74,2 ± 29,50	67,5 ± 35,56	0,376 *
Общее состояние Здоровье	65,8 ± 25,75	71,4 ±27,68	66,6 ±28,16	0,444 *
Vitality	71,69 ±21,67	78,9 ± 20,98	72,7 ± 27,82	0,210 *
Социальные аспекты	85,6 ±28,13	87,9 ± 26,61	84,58 ± 27,40	0,638 *

Ограничение по Аспекты Эмоциональный	78,0 ±41,80	91,9 ±26,39	82,2 ± 37,89	0,256 *
Психическое здоровье	74,4 ± 19,57	81,6 ±16,18	70,3 ± 25,38	0,082 **

(*) Крускал-Уоллис

(**) Anova

2.4 Обсуждение

Исследование показало, что статистически значимой разницы в уровне депрессии между пациентами до трансплантации и пациентами, перенесшими трансплантацию почки, не было. Однако наблюдалась тенденция к увеличению числа случаев депрессии среди пациентов до трансплантации (таблица 3), что соответствует результатам, полученным в другом исследовании[(16)] . Однако следует подчеркнуть, что депрессия может быть потенциальной проблемой после трансплантации из-за некоторых возможных последствий, таких как несоблюдение режима лечения и потеря трансплантата ' '[(162021)] , а также телесные изменения, чувство вины перед донором и действие иммунодепрессантов[(22)] .

В обеих группах также был высокий процент пациентов, не страдающих депрессией (таблица 3). Результаты исследований, проведенных в этой области, отличаются от полученных данных и свидетельствуют о наличии этого расстройства в основном среди пациентов, включенных в список до трансплантации[(23)] , и среди тех, кто был пересажен и вернулся на гемодиализ из-за отторжения трансплантата ' ' \.[(132021]

Такая разница в результатах может быть связана с тем, что в исследовании не участвовали пациенты с отторжением, что должно было привести к увеличению случаев депрессии среди испытуемых. Мы также предполагаем, что это может быть связано с тем, что пациент ждал трансплантации, находясь на диализе, о чем упоминают авторы^ ' '[242526)] .

Однако среди пациентов, у которых была выявлена депрессия, в группе до трансплантации почки наблюдались самые высокие показатели этого расстройства на всех уровнях (табл. 3), как сообщают другие авторы ' ' \[(202324]

Причины более высокой частоты депрессии среди пациентов с КРБС могут быть связаны с образом жизни, который они приобрели, начав лечение диализом. Ограничение диеты и воды, потеря самостоятельности, снижение ежемесячного дохода, снижение сексуального интереса и страх смерти названы в качестве факторов, вызывающих депрессивные расстройства в этой популяции '[(1327)] . Другими причинами, часто связанными с депрессией у пациентов, проходящих лечение гемодиализом, являются жалобы на недомогание, судороги, резкие перепады артериального давления, наличие артериовенозной фистулы и предрассудки при выходе на рынок труда[(28)] , а также плохая приверженность к лечению .[29]

Проблемы, с которыми сталкиваются пациенты с хронической болезнью почек, негативно влияют на качество их жизни[5 ' ' '11233031)] , 'как видно из таблицы 6, где Практически все показатели, связанные с качеством жизни, были ниже по сравнению с пациентами, перенесшими трансплантацию почки, как описано другими авторами '[2332] .

Еще одной причиной депрессии у пациентов с КРР, находящихся в листе ожидания трансплантации, возможно, является то, как они справляются с новой ситуацией. Стресс, который испытывают эти пациенты, столкнувшись с возможностью трансплантации, может спровоцировать депрессивное расстройство ' '[242526] .

Для некоторых пациентов очередь на трансплантацию считается символом надежды, психической и социальной реорганизации. Для других это может рассматриваться как последний шанс[33] .

Стоит подчеркнуть, что депрессия может возникать и после трансплантации почки, как показано в некоторых исследованиях ' ' '[2130343536] 'и как наблюдалось у некоторых пациентов в данном исследовании (таблица 3), а также в исследованиях других видов трансплантации, например, трансплантации печени[33] , что может быть объяснено клиническими и/или хирургическими осложнениями[22] , несоблюдением режима лечения '[1336] , изменениями в организме '[2235] , применением иммунодепрессантов ' '[162122 37 \ или, возможно, сочетанием всех этих факторов, в дополнение к негативному влиянию на QoL этих пациентов '[3036 \ Как депрессия может выражать эффект одного или нескольких связанных факторов, так и быть причиной других проблем. Нелеченая депрессия может привести к отторжению трансплантата из-за несоблюдения режима лечения[13] , а также стать фактором риска самоубийства '[3839] . Аналогично, отторжение можно считать фактором риска депрессии и самоубийства^ ' -*.[1321]

Что касается длительности периода после трансплантации и его возможной связи с уровнем депрессии, то было отмечено, что наибольшее число трансплантированных пациентов без депрессии приходится на период более одного года и менее или равный двум годам после процедуры. Этот результат может быть связан с большей адаптацией к изменениям образа жизни через год после трансплантации, как отмечают авторы[40] . Пациент обретает большую независимость[12] , благодаря снижению частоты посещений больницы, имеет больше самостоятельности в решении личных проблем и выполнении повседневных дел .[35]

Другой причиной может быть снижение дозы иммунодепрессантов, которое обычно происходит со временем, в соответствии с протоколом для каждого препарата, и может быть связано с уменьшением эффекта этих лекарств, как это происходит в случае с депрессивными симптомами[37] .

Однако среди пациентов, перенесших трансплантацию, большинство страдали депрессией в течение этого же периода, как сообщалось в аналогичном исследовании(36 \ Это оправдывает возникновение депрессии через год из-за финансовых последствий, связанных с трудностями реинтеграции на рынке труда, физического состояния пациента и проводимого лечения, которое влияет на семейную жизнь и социальную активность, изменений в пищеварении (запоры) и беспокойства, такого как страх инфекции и отторжения трансплантата.

Однако совокупная частота случаев депрессии в течение трех лет после трансплантации оправдывает возникновение этого расстройства только в первый год, связывая его с такими факторами, как: адаптация к повседневной жизни, страх отторжения и инфекции, применение иммунодепрессантов, а также их побочные эффекты[21] .

Это исследование показало, что наибольшее число пациентов без депрессии находились на диализе менее четырех лет (табл. 5), что отличается от результатов других исследований ' ' '[1335383941] '.

Это может быть связано с тем, что пациенты надеются, что скоро смогут избавиться от этой ситуации, некоторые - из-за надежды на возможную трансплантацию ' '[223542] , другие - потому что не понимают, что значит иметь хроническую болезнь почек и ее последствия, поэтому думают, что, возможно, существует лекарство и что лечение носит временный характер[24] .

Однако, хотя наибольшее число пациентов без депрессии находились на диализе менее четырех лет, как ни парадоксально, большинство пациентов с этим расстройством также находились на диализе в течение того же периода, что согласуется с результатами ранее цитируемых исследований* ' ' ' ^).[433538391]

Можно предположить, что это связано с тем, как каждый человек справляется с различными ситуациями. Каждый человек реагирует определенным образом, когда его удивляет новость о том, что у него хроническое заболевание и он будет нуждаться в лечении всю оставшуюся жизнь ' ^[24273] .

Ситуация может усугубиться, если появляется возможность трансплантации: человек зачастую даже не успел осознать болезнь и лечение, которому он подвергнется, а тут ему предстоит операция, в ходе которой ему придется получить орган от другого человека, живого или мертвого[44] .

Однако при стратификации уровней депрессии в таблице 5 видно, что в период менее четырех лет было больше случаев легкой депрессии, в то время как большинство случаев умеренной и тяжелой депрессии приходилось на период от восьми лет и более. Предполагается, что это связано с длительным ожиданием в предтрансплантационной очереди, что может привести к появлению сопутствующих заболеваний[45] и даже смерти пациента, а также с ростом неуверенности в проведении трансплантации из-за несовместимости доноров[20] .

В таблице 6 показано, что в группе пациентов, перенесших трансплантацию почки, качество жизни было выше, причем статистически значимая разница наблюдалась практически во всех областях по сравнению с группой очередников до трансплантации, что согласуется с результатами некоторых исследований ' '[233132_46] , за исключением социальных аспектов и психического здоровья, которые имели несколько более высокие перцентили среди пациентов, стоявших в очереди до трансплантации.

Предполагается, что более высокое качество жизни среди реципиентов трансплантата обусловлено степенью независимости, которую обеспечивает трансплантат в случае успеха, в дополнение к меньшим ограничениям в еде, отсутствию ограничений в воде и большему физическому благополучию, о чем также говорится в некоторых исследованиях[35_40] .

В этом исследовании при сравнении двух групп больше всего выделялись такие области, как жизнеспособность (p = 0,000), функциональные возможности (p = 0,001), боль (p = 0,027) и общее состояние здоровья (p = 0,049). В одном из исследований[29] не было выявлено статистически значимых различий в качестве жизни при сравнении групп, находящихся на гемодиализе, перитонеальном диализе и трансплантации почки. Однако компонент жизнеспособности оказался выше в группе трансплантации почки, как и в данном исследовании.

В другом исследовании также не было выявлено статистически значимой разницы между баллами QoL при сравнении пациентов до и после трансплантации почки; однако в нем было отмечено, что средние баллы указывают на положительную разницу в оценке качества жизни после трансплантации[35] .

Третье исследование показало, что субъективное восприятие QoL отрицательно коррелирует с наличием депрессии и отсутствием социальной поддержки[47] .

Однако, несмотря на то, что настоящее исследование и многие из уже упомянутых исследований показывают более удовлетворительные результаты в отношении КЖ среди пациентов с трансплантацией почки, стоит подчеркнуть потенциальное ухудшение КЖ в посттрансплантационный период, учитывая некоторые опасения, свойственные этому периоду, такие как изменение образа тела, неуверенность в возможном возвращении к профессиональной деятельности, страх отторжения трансплантата и возвращения к диализу, что подтверждают некоторые авторы ' '[7223235] '.

Что касается области социальных аспектов, то самые высокие показатели были связаны с небольшим количеством пациентов в очереди до трансплантации, которые отличались от остальных социальными характеристиками, такими как более высокий доход, лучшие жилищные условия, более высокий интеллектуальный уровень и доступ к частному или субсидированному медицинскому лечению, что повысило средние показатели по этому компоненту.

Что касается области психического здоровья, то здесь также наблюдалась разница между пациентами, стоящими в очереди, и пациентами, перенесшими трансплантацию. Тот факт, что этот домен был выше в этой группе, не является статистически значимым и несколько противоречит данным, представленным в таблице 3, которые показывают большее количество случаев депрессии в этой популяции, а также исследованию, проведенному среди пациентов, проходящих лечение диализом, в котором было установлено, что наличие депрессии ухудшает QoL, особенно в доменах психического и физического здоровья[(30)] .

Исследование предикторов качества жизни у пациентов с хроническими заболеваниями на гемодиализе выявило более низкие показатели по физическому и психическому компонентам, связав эти результаты с наличием сопутствующих заболеваний, таких как сахарный диабет (СД) и депрессия, использованием CDL в качестве сосудистого доступа, отсутствием постоянной профессии и более низким уровнем образования, что негативно влияет на качество жизни этой группы[(23)] . В этом исследовании были получены сходные данные в отношении области физических ограничений и расходящиеся данные в отношении области психического здоровья; однако результаты не были статистически значимыми.

В таблицах 7 и 8 показано, что статистическая значимость средних оценок КЖ в зависимости от времени, прошедшего с момента трансплантации, согласно другому исследованию[(47)] , и времени нахождения на диализе отсутствует.

Что касается трансплантации, то, как упоминалось выше, в исследовании, проведенном с участием 166 пациентов, которым была пересажена печень (47 %), почка (42,8 %) и сердце (10,2 %), оценивалась связь между уровнем тревоги, депрессии и КЖ и продолжительностью периода после трансплантации. Через год после трансплантации были выявлены более высокие уровни тревоги и депрессии, что негативно отразилось на КЖ пациентов[(36)] . Авторы объяснили эти результаты опасениями по поводу возможности отторжения, инфекций и будущего физического, социального и финансового благополучия* \[21-25]

Однако опасения, о которых говорят пациенты, имеют место во все периоды после трансплантации и даже до ее проведения, поскольку они актуальны в связи с реальной возможностью возникновения вышеупомянутых изменений, о чем говорится в одном из исследований*[35)] , что подтверждает результаты данного исследования.

Что касается гемодиализа, то исследования*[29-48] * показывают, что у пациентов с более коротким периодом лечения диализом показатели КЖ были выше, как и у пациентов, которые не проходили лечение диализом до трансплантации. Однако у пациентов, которым перед операцией был проведен диализ, это исследование не выявило значительного влияния на КЖ.

2.5 Последние соображения:

Исследование показало, что большинство показателей качества жизни у пациентов, перенесших трансплантацию, были значительно лучше, чем у пациентов, стоявших в очереди до трансплантации. Также было установлено, что большинство пациентов, как в очереди, так и после трансплантации, не страдают от депрессии. Продолжительность пребывания на диализе и трансплантации, по-видимому, не влияет на восприятие пациентами своего эмоционального состояния и качества жизни.

Однако мы хотели бы подчеркнуть важность оценки эмоциональных и психосоциальных аспектов в связи с изменениями, которые могут возникнуть как до, так и после трансплантации почки.

Считается, что дальнейшие исследования в этой области имеют фундаментальное значение для лучшего понимания управления лечением и уходом за хроническими пациентами, а систематический психологический мониторинг со стороны многопрофильной команды предлагается проводить на всех этапах трансплантации.

Ссылки

1 Riella MC. Принципы нефрологии и гидроэлектролитические расстройства. Ed. Guanabara Koogan 1996; 3(36): 475 / (48): 639-641.

2 Смелцер С. К., Бэр Б. Г. Трактат о медицинском и хирургическом сестринском деле. Guanabara 2002; 9: 1100.

3 Romão Jr JE, Хроническая болезнь почек: определение, эпидемиология и классификация. Бразильский журнал нефрологии 2004; V. XXVI(3).

4 D'Ávila 1996 In, Riella. Op. Cit.

5 Castro M, Caiuby AVS, Draibe SA, Canziani MEF. Качество жизни пациентов с хронической почечной недостаточностью на гемодиализе, оцененное с помощью общего инструмента SF-36. Rev Assoe Med Bras 2003; 49:245-9.

6 Циммерманн, П. Р.; Карвальо, Ж. О. и Мари, Ж. Ж. Влияние депрессии и других психосоциальных факторов на прогноз хронических почечных больных. Revista de Psiquiatria do Rio Grande do Sul 2004; 26(3):312-318.

7 Bittencourt ZZLC, Alves Filho G, Mazzali M, Santos NR. Качество жизни у пациентов с пересаженной почкой: важность функционирующего трансплантата. Rev. Saúde Pública

2004; 38(5): 732-734.

8 Pereira WA, Galazzi JF, Lima AS, Andrade MAC. Трансплантация печени. В книге: Перейра BA, организатор. Руководство по трансплантации органов и тканей. Ed. Medsi 2000; 2:203-37.

9 Бутоло-Видо М. Кинтелла-Фемандес Р. Качество жизни: соображения о концепции и инструментах измерения. Онлайновый бразильский журнал сестринского дела [серия в Интернете]. 2007 13 марта; 6(2).

10 Макинтайр Т., Баррозо Р., Луренсо М. Влияние депрессии на качество жизни пациентов. Saúde mental 2002, 4(5).
11 Вальдеррабано Ф, Хофре Р, Лопес-Гомес ХМ. Качество жизни у пациентов с почечной болезнью в конечной стадии. Am J Kidney Dis 2001; 38(3):443-64.

12 Кастро Е.К. Хронический почечный пациент и трансплантация органов в Бразилии: психосоциальные аспекты. *Rev. SBPH. yv^.* 2005; 8(1): 1-14.

13 Алмейда AM, Мелейро AMAS. Депрессия и хроническая почечная недостаточность. J Bras Nefrol. 2000; 22:192-200.

14 Даугирдас JT. Руководство по диализу. Изд. Медси 2003; 3.

15 Манфро, Р.К. и др. Руководство по трансплантации почек. Ed Manole 2004; 1.

16 Karaminia R, Tavallaii SA, Lorgard-Dezfuli-Nejad M, Lankarani M.M., Mirzaie HH, Einollahi B, and Firoozan A. Тревога и депрессия: сравнение между реципиентами почечной трансплантации и пациентами на гемодиализе. Труды по трансплантации 2007; 39: 1082-1084.

17 Бек, AT, Стир RA, Гарбин MG. Психометрические свойства опросника депрессии Бека: двадцать пять лет оценки. Clin. Psychol. Rev. 1988; 8(l):77-100.

18 Gorestein C, Andrade H. Beck Depression Inventory: психометрические свойства португальской версии. Rev Psiquiatr Clin 1998; 25:245-50.

19 Ciconelli RM. Перевод на португальский язык и валидация опросника качества жизни "Medical outcomes study 36-item short form health survey (SF-36)" [тезисы]. Федеральный университет Сан-Паулу, 1999.

20 Акман Б., Оздемир Ф. Н., Сезер С., Микозкадиоглу Х., Хаберал М. Уровень депрессии до и после трансплантации почки. Transplant Proc 2004; 36:111-3.

21 Dobbels F, Skeans MA, Snyder JJ, Tuomari AV, Maclean JR, and Kasiske BL. Депрессивные расстройства при трансплантации почки: анализ заявок Medicare. American Journal of Kidney Diseases 2008; 51 (5):819-828.

22 Abrunheiro LMM, Perdigoto R, Sendas S. Психологическая оценка и наблюдение до и после трансплантации печени. Psych, Health & Diseases. Nov. 2005; 6(2): 139-143.

23 Barbosa LMM, Júnior MPA, Bastos KA. Предикторы качества жизни у пациентов с хронической болезнью почек на гемодиализе. J Bras Nefrol 2007; 29(4).

24 Веллозу, Розана Лаура Мартинс. Влияние гемодиализа на субъективную сферу хронических почечных больных. *Cogito* 2001; 3:73-82.

25 Sasso KD, Galvão CM, Silva Jr OC, França AVC. Трансплантация печени: результаты обучения пациентов, ожидающих операции. Rev. Latino-Am. Enfermagem 2005 Aug; 13(4):481-488.

26 Massarollo MC, Kurcgant P. Опыт медсестер в программе трансплантации печени в государственной больнице. Rev Latino-am Enfermagem 2000; 8(4):66-72.

27 Хига К. и др. Качество жизни пациентов с хронической почечной недостаточностью, получающих лечение диализом. Actapaul. enferm. 2008; 21.

28 Лара Е.А., Саркис Л.М. Хронические почечные больные и их отношения с работой. Cogitare Enf. 2004; 9(2):99-106.

29 Sayin A, Mutluay R, and Sindel S. Quality of Life in Hemodialysis, Peritoneal Dialysis, and Transplantation Patients. Труды по трансплантации 2007; 39:3047-3053.

30 Noohi S, Khaghani-Zadeh M, Javadipour M, Assari S, Najafi M, Ebrahiminia M, and Pourfarziani V. Anxiety and Depression Are Correlated With Higher Morbidity After Kidney Transplantation. Труды по трансплантации 2007; 39:1074-1078.

31 Pereira LC, Chang J, Fadil-Romão MA, Abensur H, Araújo MRT, Noronha IL, et al. Качество жизни, связанное со здоровьем, у пациентов с почечным трансплантатом. J Bras Nefrol 2003;25:10-6.

32 Овербек, М. Бартельс, О. Декер, Й. Хармс, Й. Хаусс и Й. Фангманн. Изменения в качестве жизни после трансплантации почки. Transplantation Proceedings 2005; 37:1618-1621.

33 Дуарте ПМ, Санкаранкутти АК, Сильва ОК, Горайеб Р, и др. Психический дистресс у пациентов, включенных в список на трансплантацию печени. Act Cir. Bras. 2006; 21(1).

34 Arapaslan B, Soykan A, Soykan C, and Kumbasar H. Поперечная оценка психических

расстройств у пациентов, перенесших трансплантацию почки в Турции: предварительное исследование. Труды по трансплантации 2004; 36:1419-1421.

35 Ravagnani LMB, Domingos NAM, Miyazaki MCOS, Качество жизни и стратегии преодоления у пациентов, перенесших трансплантацию почки. Estudos de Psicologia. 2007; 12 (2): 177-184.

36 Pérez-San-Gregorio MA, Martín-Rodríguez A, Díaz-Domínguez R, Pérez-Bemal J. Влияние тревоги после трансплантации на долгосрочное здоровье пациентов. Труды по трансплантологии 2006; 38:2406-2408.

37 Rosenberger J, Geckova AM, Dijk JP, Roland R, Heuvel WJA, Groothof JWG Факторы, изменяющие стресс от неблагоприятного воздействия иммуносупрессивных препаратов у реципиентов почечного трансплантата. Clinicai Transplantation 2004; 19(l):70-76.

38 Moura Júnior JA, Souza CAM, Oliveira IR, Miranda RO, Teles C, Moura Neto JA. Риск самоубийства у пациентов, находящихся на гемодиализе: эволюция и смертность в течение трех лет. J. bras. psiquiatr. 2008; 57(1):44-51.

39 Kurella M, Kimmel PL, f Belinda S. Young and Glenn M. Chertow. Самоубийства в программе по лечению почечной болезни последней стадии в Соединенных Штатах. J Am Soc Nephrol 2005; 16:774-781.

40 Брандао де Карвальо Лира Ана Луиза, Кавальканте Гуэдес Мария Вилани, Оливейра Лопес Маркос Венисиос де. Подростковая хроническая болезнь почек: физические, социальные и эмоциональные изменения после трансплантации. Rev Soc Esp Enferm Nefrol. 2005; 8(4): 12-16.

41 Алмейда А. М., Значение психического здоровья для качества жизни и выживаемости пациентов с хронической почечной недостаточностью. J Bras Nefrol. 2003; 250:209-14.

42 Пьетровск В., ДалфАгнол СМ. Значимые ситуации в пространстве-контексте гемодиализа: что говорят пользователи услуг? Rev. bras. enferm. [serial on the Internet]. 2006 Oct; 59(5):630-635.

43 Амато МС, Амато НВ, Уйп ДЕ. Оценка качества жизни пациентов с болезнью Шагаса, перенесших трансплантацию сердца. Rev. Soc. Bras. Med. Trop. 1997; 30(2): 159-160.

44 Мендес АС, Ширатори К. Восприятие пациентов, перенесших трансплантацию почки. Rev Nursing. 2002; 5 (44): 45-51.

45 Morsch C, Gonçalves L F, Barros E. Индекс тяжести заболевания почек, показатели ухода и смертность среди пациентов, находящихся на гемодиализе. Rev. Assoe. Med. Bras. 2005 Oct; 51(5):296-300.

46 Virzi A, GiammarresiSignorelli MS, Veroux MG, Maugeri S, Nicoletti A, Veroux P. Depression and Quality of Life in Living Related Renal Transplantation. Труды по трансплантации 2007; 39 (6): 1791-1793.

47 Shah VS, Ananth A, Sohal GK, Bertges-Yost W, Eshelman A, Parasuraman RK, and Venkat KK. Качество жизни и психосоциальные факторы у реципиентов почечного трансплантата. Transplant Proc. 2006; 38:1283-1285.

48 Cattai GBP, Rocha FA, Nardo Júnior N., Pimentel GGA. Качество жизни у пациентов с хронической почечной недостаточностью - SF-36. Cienc Cuid Saude 2007; 6(2):460-467.

ГЛАВА 3

ПРИЛОЖЕНИЯ

A - Форма информированного согласия

B - Форма характеристики образца

ТЕРМИН "СВОБОДНОЕ И ОСОЗНАННОЕ СОГЛАСИЕ" (TCLE)

ПРОЕКТ

ДЕПРЕССИЯ И КАЧЕСТВО ЖИЗНИ У ПАЦИЕНТОВ ДО И ПОСЛЕ ТРАНСПЛАНТАЦИИ ПОЧКИ

Имя автора: **Патрисия Мадруга Рего Баррос**
Имя руководителя: **Лусиана Соарес де Лима**
Адрес: Rua Capitão Ponciano 63, Barro - Recife - PE - Почтовый индекс: 50780-040
Контактный телефон: (81) 3251.1936 e-mail: patricia-madruga@hotmail.com

Целью исследования было проанализировать депрессию и качество жизни у пациентов до и после трансплантации почки.

Исследование будет проводиться в клинике *трансплантации почки при* больнице Hospital das Clínicas Recife - Pernambuco.

Данные будут собираться с помощью анкеты, состоящей из закрытых вопросов и специальных опросников для анализа качества жизни и депрессии.

Эти данные будут использованы для подготовки магистерской диссертации.

Исследование будет для вас бесплатным, и вы не получите никакой оплаты за свое участие.

Информация, полученная в ходе исследования, будет оставаться конфиденциальной, а частная жизнь его участников будет соблюдена. Информация может быть обнародована на мероприятиях или в научных публикациях с сохранением личности участников.

Применение инструмента сбора данных может вызвать смущение у пациентов, что представляет минимальный риск для выборки, но они смогут выйти из исследования в любой момент, не ставя под угрозу свое лечение. Результаты исследования могут помочь улучшить качество медицинской помощи, оказываемой целевой аудитории, избежать или уменьшить проблемы со здоровьем.

Я прочитал и понял описанную выше информацию и даю свое согласие на участие в данном исследовании.

Ресифи де де.

Интервьюер   Интервьюер

Свидетель Свидетель

ФОРМА СБОРА ДАННЫХ

Дата сбора ____________//Регистр :

ИДЕНТИФИКАЦИОННЫЕ ДАННЫЕ

I. Номер медицинской карты:___________________
II. Возраст:_______________
III. Пол: 1 мужчина □2 женщины □
IV. Профессия: _________________
V. Род занятий:_________________
VI. Образование:

1 □ Неграмотный4 □ 2° класса или средняя школа

2 □ Грамотный5 □ 3° степень или выше

3 □ 1° класс или начальная школа 6 □ Аспирантура.

VII. Проживает: 1 □ Столичный округ Ресифи (муниципалитет):

2 □ Другое

VIII Ежемесячный доход: _______________________________

IX . Жилищные условия:

1 Имеет водопровод и полную базовую санитарию

2 □ Есть электричество

3 □ Дом из каменной кладки

4 □ Дом из глинобитных блоков

X . Время диализа: ________________________________

XI Тип диализного лечения на данный момент:

1 nCAPD Время: 3 □ DPI Время:

2 □ HEMODIALYSIS Время: 4 □ DPA Время:

5 □ Не применимо

XIL Базовая болезнь:

1 □ НЕОПРЕДЕЛЕННЫЙ6 □ ПОЛИКИСТОЗ ПОЧЕК

2 □ GNC7 □LES

3 □ ЕСТЬ8 □ УРОПАТИЯ +PNC

4 □ DM9 □ OTHER

5 □ ИНТЕРСТИЦИАЛЬНЫЙ НЕФРИТ

XIIL Тип трансплантации:

1 □ Родственный живой донор 2 □ Неродственный живой донор	3 □ Трупный донор

XIV. Время трансплантации:

ПРИЛОЖЕНИЯ

A- Одобрение Комитета по этике научных исследований

B- Опросник качества жизни SF-36

C - Инвентарь депрессии Бека (BDI)

SERVIÇO PÚBLICO FEDERAL
UNIVERSIDADE FEDERAL DE PERNAMBUCO
Comitê de Ética em Pesquisa

Of. N. º 007/2008 - CEP/CCS

Recife, 06 de outubro de 2008

Registro do SISNEP FR – 126414
CAAE – 0049.0.172.000-07
Registro CEP/CCS/UFPE Nº 051/07
Titulo: "Depressão e Qualidade de Vida em Pacientes no Pré e Pós-Operatório de Transplante Renal de um Hospital Universitário de Recife-PE "

Pesquisador Responsável: Patrícia Madruga Rêgo Barros Duarte

Senhora Pesquisadora:

Informamos que o Comitê de Ética em Pesquisa envolvendo seres humanos do Centro de Ciências da Saúde da Universidade Federal de Pernambuco (CEP/CCS/UFPE) analisou e aprovou a modificação do título da pesquisa "**Depressão e Qualidade de Vida em Pacientes no Pré e Pós-Operatório de Transplante Renal de um Hospital Universitário de Recife-PE**".

Atenciosamente

Prof. Geraldo Bosco Lindoso Couto
Coordenador do CEP/ CCS / UFPE

A
Dra. Patrícia Madruga Rêgo Barros Duarte
Programa de Pós-Graduação em Ciências da Saúde – CCS/UFPE

Av. Prof. Moraes Rego, s/n Cid. Universitária, 50670-901, Recife - PE, Tel/fax: 81 2126 8588; cepccs@ufpe.br

ИССЛЕДОВАНИЕ ЗДОРОВЬЯ SF-36	СКОРАЯ ПОБЕДА

Имя	**RG_**
Адрес	**TEL**
_____ Дата//	**Экзаменатор**

ИНСТРУКЦИИ: В этом опросе вас спрашивают о вашем здоровье. Эта информация поможет нам узнать, *как* вы себя чувствуете и НАСКОЛЬКО хорошо вы можете выполнять повседневные дела. Пожалуйста, ответьте на каждый вопрос, отметив ответ, *как* указано. Если вы не знаете, *как* ответить, постарайтесь ответить как можно лучше.

1. В целом вы можете сказать, что ваше здоровье в порядке:

(обведите один)

Превосходно 1
Очень хорошо 2
Хорошо 3
Плохо 4
Очень плохо 5

2. **По сравнению с тем, что было год назад,** как бы вы оценили свое общее состояние здоровья **сейчас?**

(обведите один)

Сейчас намного лучше, чем год назад 1
Сейчас немного лучше, чем год назад 2
Почти столько же, сколько год назад 3
Сейчас немного хуже, чем год назад 4
Сейчас гораздо хуже, чем год назад 5

3. Ниже перечислены виды деятельности, которыми вы могли бы заниматься в течение обычного дня. **По** состоянию **здоровья** вам трудно выполнять эти действия? Если да, то насколько?

(обведите номер с каждой стороны)

Деятельность	Да. Это очень сложно	Да. Небольшие трудности	Нет. Это не делает его сложнее.
А) **Энергичная деятельность,** требующая больших усилий, например, бег, поднятие тяжелых предметов, участие в напряженных видах спорта	1	2	3
Б) **Умеренная деятельность,** например, передвижение стола, мытье посуды, игра в мяч, подметание дома	1	2	3
С) Подъем или **переноска** грузов	1	2	3
Г) Подняться на **несколько** лестничных **пролетов**	1	2	3
Е) Подняться по лестнице	1	2	3
F) Поклон, коленопреклонение или сгибание ног	1	2	3
Ж) Ходьба на **расстояние более 1 километра**	1	2	3
Н) Пройдите **несколько кварталов**	1	2	3
I) Пройдитесь по **кварталу**	1	2	3
J) Купание или одевание	1	2	3

4. В течение **последних 4 недель возникали ли** у вас какие-либо из перечисленных ниже проблем *с* работой или обычной повседневной деятельностью в связи с состоянием **вашего физического здоровья?**

(обведите цифру *в* каждой строке)

	Да	Нет
А) Сократили ли вы **количество времени, которое** уделяете работе или другой деятельности?	1	2
Б) Выполнили ли вы **меньше заданий, чем**	1	2

хотели бы?		
С) Были ли вы **ограничены** *в* работе или других видах деятельности?	1	2
Г) Было ли вам **трудно** выполнять свою работу или заниматься другими делами (например, приходилось ли вам *прилагать* дополнительные усилия)?	1	2

5. В течение **последних 4 недель возникали ли** у вас какие-либо из перечисленных ниже проблем *с* работой или другой обычной повседневной деятельностью в **результате эмоциональных проблем** *(например,* чувство депрессии или тревоги)?

*(*обведите цифру *в* каждой строке)

	Да	Нет
А) Сократили ли вы **количество времени, которое** уделяете работе или другой деятельности?	1	2
Б) Выполнили ли вы **меньше заданий, чем хотели бы**?	1	2
С) Вы не работали и не занимались ни одним из видов деятельности *так* **тщательно, как** обычно?	1	2

6. За последние 4 недели, как ваше физическое здоровье или эмоциональные проблемы мешали вашей обычной социальной активности с семьей, соседями, друзьями или в группах?

(обведите один)

Совсем нет 1
Немного 2
Умеренно 3
Довольно 4
Крайне 5

7. Какую **боль в теле** вы испытывали за **последние 4 недели?**

(обведите один)

Нет 1
Очень легкий 2
....Свет3
Умеренный 4
....Могила5
Муитограв 6

8. в течение **последних 4 недель** насколько сильно боль *мешала* вашей обычной работе (включая работу на улице и в помещении)?

(обведите один)

....Совсем нет1
....Немного2
....Умеренно3
....Довольно много4

....Exfre^mente5

9. Эти вопросы касаются вашего самочувствия и того, *как* все происходило *в* течение **последних *4* недель.** На каждый вопрос, пожалуйста, дайте ответ, который наиболее близок к вашим ощущениям.

(обведите цифру для каждой строки)

	Все время	Большую часть времени	Большую часть времени	В некоторых случаях	Небольшая часть времени	Nwica
А) Как давно вы чувствовали себя полным бодрости, полным воли, полным сил?	1	2	3	4	5	6
Б) Как долго вы испытываете сильную нервозность?	1	2	3	4	5	6
В) Как давно вы чувствовали себя настолько подавленным, что ничто не могло вас развеселить?	1	2	3	4	5	6
Г) Как долго вы ощущали спокойствие или умиротворение?	1	2	3	4	5	6
Е) Как долго вы чувствуете себя энергичным?	1	2	3	4	5	6
F) Как долго вы чувствовали себя удрученным и подавленным?	1	2	3	4	5	6
Ж) Как долго вы чувствовали себя измотанным?	1	2	3	4	5	6
Н) Как давно вы чувствовали себя счастливым человеком?	1	2	3	4	5	6
I) Как давно вы чувствуете усталость?	1	2	3	4	5	6

10. В течение последних 4 недель сколько времени ваше физическое здоровье или эмоциональные проблемы мешали вам заниматься общественной деятельностью (например, посещать друзей, родственников и т. д.)?

(круг мм)

Все время1
Большую часть времени 2
Часть времени3
Небольшую часть времени4
Не часть времени5

11. 0 Насколько верно или неверно каждое из этих утверждений для вас?

	Определенно верно	В большинстве случаев это правда	Я не знаю.	В большинстве случаев ложные	Определенно крылья
А) Я болею немного легче, чем другие люди.	1	2	3	4	5
В) Я здоров, как никто другой из моих знакомых.	1	2	3	4	5
С) Я думаю, что здоровье будет ухудшаться	1	2	3	4	5
D) У меня отличное здоровье	1	2	3	4	5

РУКОВОДСТВО ПО ОЦЕНКЕ ПО ШКАЛЕ SF-36

Вопрос	Оценка
01	1=>5.02=>4.43=>3.44=>2. 05 =>1.0
03	Сумма не мл
04	SomaNornal
05	SomaNornal
06	1=>52=>43=>34=>25=>1

07	1=>6.02=>5.43=>4.24=>3.15=>2.26=>1.0
08	Если 8=>1 и 7=>1=======>6 1=>6.0 Если 8=>1 и 7->2 до 6=====>52=>4 .75 Если 8=>2 и 7=>2 до 6=====>43=>3 .75Если вопрос 07 не задан Если ответ 8=>3е7=>2а6=====>34=>2.,25 Если 8=>4е7=>2 - 6=====>25=>1.0 Если 8=>5 и 7=>2 - 6=====>1
09	A, D, E, H = значения контуров (1=6, 2=5, 3=4, 4=3, 5=2, 6=1) Жизнеспособность = A + E + G + I Психическое здоровье = B + C + D + F + H
10	SumNominal
11	Сумма: A + C (номинальные значения) B + D (значения контуров: 1=5, 2=4, 3=3, 4=2, 5=1)

Артикул	Вопрос	Лимиты	Диапазон баллов
Функциональные возможности	3	10,30	20
Физический аспект	4	4,8	4
Боль	7 + 8	2,12	10
Общее состояние здоровья	1 + 11	5,25	20
Vitality	**9 A, E, G, I**	4,24	20
Социальные аспекты	6 + 10	2,10	8
Эмоциональный аспект	5	3,6	3
Психическое здоровье	**9 B, C, D, F, H**	5,30	25

Масштаб ряда:

Ex: Item = [Полученное значение - Наименьшее значение] / Вариант x 100

Ex: Функциональные возможности = 21

Наименьшее значение = 10

Вариация = 20

$$\frac{21-10}{20} \times 100 = 55$$

Потерянные данные:

Если вы ответили более чем на 50% = замените среднее значение на 0 = худший балл 100 = лучший балл

CICONELLI, R.M. - Перевод на португальский язык и валидация общего опросника качества жизни "Medical Outcomes Study 36- Item Short Form Health Survey (SF-36)". Докторская диссертация, Федеральный университет Сан-Паулу, 143 страницы, 1997.

Инвентарь депрессии Бека (BDI)

Этот опросник состоит из 21 группы утверждений. Внимательно прочитав каждую группу, обведите цифру (0, 1, 2 или 3) напротив того утверждения в каждой группе, которое лучше всего описывает ваше самочувствие на этой неделе, включая сегодняшний день. Если несколько утверждений в группе кажутся одинаково подходящими, обведите каждое из них. Прежде чем сделать свой выбор, внимательно прочитайте все аффирмации в каждой группе.

1.0 Я не чувствую грусти.
1 Мне грустно.
2 Мне всегда грустно, и я не могу из этого выбраться.
3 Я настолько грустен или несчастен, что не могу этого вынести.

2.0 Я не особенно унываю по поводу будущего.
1 Я чувствую уныние по поводу будущего.
2 Не думаю, что мне есть к чему стремиться.
3 Я считаю будущее безнадежным, и у меня складывается впечатление, что лучше быть не может.

3.0 Я не чувствую себя неудачником.
1 Думаю, я потерпел больше неудач, чем обычный человек.
2 Когда я оглядываюсь на свою жизнь, то вижу лишь множество неудач.
3 Я думаю, что я полный неудачник как личность.

4.0 Мне все нравится, как и раньше.
1 Я уже не получаю такого удовольствия, как раньше.
2 Я не нахожу истинного удовольствия ни в чем другом.
3 Я всем недоволен или мне все надоело.

5.0 Я не чувствую себя особенно виноватым.
1 Иногда я чувствую себя виноватой.
2 Большую часть времени я чувствую себя виноватой.
3 Я всегда чувствую себя виноватой.

6.0 Я не думаю, что меня наказывают.
1 Думаю, меня можно наказать.
2 Я думаю, меня накажут.
3 Мне кажется, меня наказывают.

7.0 Я не чувствую разочарования в себе.
1 Я разочарован в себе.
2 Я сам себе противен.
3 Я ненавижу себя.

8. 0 Я чувствую себя не хуже других.
1 Я критикую себя из-за своих слабостей или ошибок.
2 Я всегда виню себя в своих недостатках.
3 Я виню себя во всем плохом, что происходит.

9.0 У меня нет мыслей о самоубийстве.
1 У меня есть мысли о том, чтобы покончить с собой, но я не стану этого делать.
2 Я бы хотел покончить с собой.

3 Я бы покончил с собой, если бы у меня была такая возможность.

10. 0 Я не плачу больше, чем обычно.
1 Сейчас я плачу чаще, чем раньше.
2 Теперь я постоянно плачу.
3 Раньше я могла плакать, а теперь не могу, даже если хочу.

11.0 Сейчас я злюсь не больше, чем когда-либо.
1 Я раздражаюсь или выхожу из себя гораздо чаще, чем раньше.
2 В эти дни я постоянно чувствую себя раздражительной.
3 Меня абсолютно не раздражают вещи, которые раньше раздражали меня.

12.0 Я не потерял интерес к другим людям.
1 Меня меньше интересуют другие люди, чем раньше.
2 Я потерял почти весь свой интерес к другим людям.
3 Я потерял всякий интерес к другим людям.

13.0 Я принимаю решения более или менее успешно, чем раньше.
1 Я откладываю принятие решений больше, чем раньше.
2 Мне сложнее принимать решения, чем раньше.
3 Я больше не могу принимать решения.

14.0 Я не чувствую, что выгляжу хуже, чем раньше.
1 Я беспокоюсь о том, что выгляжу старым или непривлекательным.
2 Я чувствую, что в моей внешности происходят необратимые изменения, которые делают меня непривлекательной.
3 Я считаю себя некрасивой.

15.0 Я могу работать более или менее хорошо, как и раньше.
1 Мне нужно приложить дополнительные усилия, чтобы начать хоть что-то.
2 Мне приходится много работать, чтобы добиться чего-то.
3 Я не могу работать.

16. 0 Я сплю так же хорошо, как обычно.
1 Я не сплю так хорошо, как раньше.
2 Я просыпаюсь на час или два раньше обычного и с трудом засыпаю.
3 Я просыпаюсь на несколько часов раньше, чем раньше, и с трудом засыпаю.

17.0 Я не устаю больше, чем обычно.
1 Я устаю легче, чем раньше.
2 Я чувствую усталость, делая практически все.
3 Я слишком устала, чтобы что-то делать.

18,0 Мой аппетит не хуже, чем обычно.
1 Мой аппетит уже не такой хороший, как раньше.

2 Мой аппетит теперь намного хуже.
3 У меня больше нет аппетита.

19.0 В последнее время я не сильно похудел, если вообще похудел.
1 Я потеряла более 2,5 кг.
2 Я потерял более 5,0 кг.
3 Я потеряла более 7,5 кг.

Я сознательно пытаюсь похудеть, потребляя меньше пищи: ДА () НЕТ ()

20.0 Я не беспокоюсь о своем здоровье больше, чем обычно.
1 Меня беспокоят физические проблемы, такие как ломота и боли, расстройство желудка или запор.
2 Меня очень беспокоят физические проблемы, и мне трудно думать о чем-то другом, кроме этого.
3 Я настолько занят своими физическими проблемами, что не могу думать ни о чем другом.

21,0 В последнее время я не замечал никаких изменений в своих сексуальных интересах.
1 Я меньше интересуюсь сексом, чем раньше.
2 В последнее время меня гораздо меньше интересует секс.
3 Я полностью потерял интерес к сексу.

Milton Keynes UK
Ingram Content Group UK Ltd.
UKHW010851280324
440101UK00001B/162